L'anarchie culinaire
selon
Bob
Le Chef

**Plus de 100 recettes à moins de 10 $ chacune,
pour entrer du bon pied dans une cuisine!**

C'est décoiffant tout ce qui s'est passé entre le moment où j'ai eu ma première *job* de plongeur en restauration et celui présent où je signe cette introduction.

Maman, es-tu fière ?

L'aventure de l'anarchie culinaire est née sur le Web, sous forme de capsules réalisées avec les moyens du bord. Par passion pour la cuisine probablement, mais surtout pour s'amuser et faire rire les *chums*.

Quand on m'a proposé de publier mon propre livre de cuisine, je me suis d'abord imaginé riche et célèbre ! Des poêles à diamants, des couteaux avec des lames en or et une chemise de chef en soie ! Mais j'ai vite réalisé qu'écrire un livre qui vante les vertus de la cuisine simple et économique, c'est pas aussi facile à dire qu'à faire !

C'était surtout pas évident de trouver la bonne recette pour faire un livre à mon goût. Trop salé au début, pas assez sucré ensuite. Mais l'important pour moi, c'était de ne pas oublier mes premières intentions.

Comme il faut apprendre à marcher avant de courir, il faut savoir cuisiner pour bien s'alimenter au quotidien. Je propose une cuisine simple et économique destinée aux jeunes et moins jeunes qui n'y connaissent rien.

On dit que les jeunes ne cuisinent pas… ?

J'ai lâché l'école après ma cinquième secondaire pour travailler comme cuisinier dans une chaîne de restauration et surtout, pour donner libre cours à ma passion : le *skateboard*. J'ai longtemps caressé l'idée de devenir un *skateboarder* professionnel. Mon rêve et quelques os brisés plus tard, je réalisais que j'avais probablement plus d'avenir en cuisine que sur une rampe de *skate*…

J'ai donc décidé de retourner à l'école à l'Institut de tourisme et d'hôtellerie du Québec.

Même si j'apprenais les meilleures techniques et cuisinais les meilleures recettes à l'école, je n'avais pas plus d'argent à dépenser pour mes repas. Je préférais le dépenser ailleurs, comme la plupart des jeunes de mon âge… Mais je me suis rendu compte que ce n'est pas le prix de ce qu'on cuisine qui est important, mais bel et bien comment on le fait. En cuisine comme dans la vie, on peut faire des miracles avec peu d'ingrédients !

En plus, la cuisine, c'est vedette, même avec un repas en bas de 10 $! Quand tu sers de la bonne bouffe à tes convives, tu deviens un peu comme la star de la soirée. Tes colocs te font des réductions sur le loyer parce que tu les nourris bien et tu es souvent exempté des corvées de vaisselle et de ménage ! Sans oublier toutes les filles que j'ai charmées grâce à quelques-unes des recettes que tu trouveras dans ces pages…

Pour l'épicurien de salon sans prétention

Parce que t'as pas toujours l'argent et encore moins le temps de te cuisiner un bon repas, je t'offre plus de 100 recettes faciles, rapides et économiques à réaliser. 100 recettes à moins de 10 $, c'est toute une aubaine !

Bienvenue dans l'univers de mon anarchie culinaire.

Bob le Chef

Sommaire

Un minimum de bouffe

Tout le monde doit manger. Que tu cuisines avec un budget restreint ou illimité, tu dois faire ton épicerie de manière judicieuse, ça, tous les chefs le savent. Tu pourras ainsi dépenser ton argent ailleurs. Voici une liste d'ingrédients de base que tu devrais posséder en tout temps dans ta cuisine et qui te permettront autant d'économiser que de te régaler.

Dans le frigo

Lait : toujours avoir du jus de vache.

Œufs : peu dispendieux et tout-terrain. Déjeuner, dîner, souper, les œufs sont des indispensables dans ton frigo.

Beurre : tu peux faire pas mal plus que beurrer tes toasts avec. Il sert aussi à confectionner plusieurs pâtisseries et à ajouter de la saveur à pratiquement tous les aliments quand on l'ajoute à temps.

Fromage cheddar : que ceux dans la salle qui n'aiment pas le cheddar lèvent la main... Voilà un fromage tout-terrain qui saura toujours te dépanner.

Laitue : toujours pratique, tu peux t'en servir pour faire une salade avec tes restes.

Sauce soya : parce qu'en Amérique, tu peux transformer toute recette en plat asiatique avec cette sauce magique...

Moutarde de Dijon : parce que la moutarde jaune, c'est comme l'homme qui a marché sur la lune... Ce n'est jamais arrivé.

Mayonnaise : que tu la fasses toi-même ou que tu l'achètes toute prête, excellente dans les sandwichs et bien des salades.

Dans le panier de fruits

Tomates : le fruit des salades. Ne jamais conserver tes tomates au frigo. Ce serait comme les jeter aux poubelles.

Pommes : toujours de saison et abordables, les pommes se conservent longtemps. Ce n'est pas parce qu'elles sont molles qu'elles ne sont plus bonnes! C'est justement à ce moment qu'elles sont idéales pour cuisiner.

Kiwis : même si ce fruit vient de loin, comme les pommes, il se conserve bien. En plus, les kiwis contiennent énormément de vitamine C (plus que les oranges!).

Bananes : pour un *boost* rapide d'énergie garanti. Si elles ont trop mûri, congèle-les pour des recettes futures.

Dans les armoires

Sel et poivre : ces assaisonnements sont nécessaires à toute recette, même en pâtisserie. Utilisés en bonne quantité, ils rehaussent le goût des aliments.

Farine : que ce soit pour faire de la pâtisserie ou pour d'autres recettes, la farine est peu coûteuse et toujours pratique à avoir à portée de la main. Toujours se rappeler que dans les temps pauvres, les crêpes font un excellent souper.

Sucre : essentiel dans la confection de desserts. Y'a rien de pire que manquer de sucre quand on se fait un café le matin...

Tomates en _canne_ : tel un scout, elles sont toujours prêtes pour la préparation de soupes, de sauces et d'autres plats mijotés.

Fèves en _canne_ : peu coûteuses, ces légumineuses sont un excellent substitut à la viande quand vient le temps de se serrer la ceinture.

Pâtes alimentaires : offertes en une grande variété de formes et de couleurs, les pâtes se gardent presque éternellement. Même si tu n'as rien d'autre à cuisiner, des pâtes au beurre, poivre et sel font toujours l'affaire.

Pain : tranché ou entier, pour tes toasts, tes sandwichs et tes croûtons à salade.

Thon en _canne_ : riche en protéines, le thon est pratique, car il est bon en sandwich, en salade ou avec des pâtes.

Huile végétale : la majorité des livres de cuisine recommandent l'huile d'olive. Mais ça peut être un peu dispendieux. Il existe une vaste variété d'huiles végétales que tu peux aussi utiliser. Choisis celle qui s'agence le mieux avec ton portefeuille.

Vinaigre balsamique : moins cher qu'il y a 10 ans, le vinaigre balsamique est maintenant accessible à tous et est excellent dans les vinaigrettes à salade ou en sauce avec la volaille, le poisson ou les légumes.

Riz : un féculent qui se marie bien avec presque toutes les viandes et les légumes. Une autre excellente base pour passer tes restes.

Pommes de terre et oignons : tous deux des ingrédients pas chers et qui ont déjà sauvé des nations. Il faut toujours garder les patates et les oignons à plus d'un mètre les unes des autres sinon, ils germeront plus vite.

Je sais pertinemment que tu n'as pas plein d'instruments de cuisine dans tes armoires et tes tiroirs. C'est pourquoi je t'offre un livre dans lequel tu n'as pas besoin de friteuse, de robot culinaire ou de laminoir à pâtes fraîches. Les instruments de cuisine proposés ici sont accessibles et peuvent presque tous s'acheter au magasin à 1 $ si jamais t'es vraiment mal pris...

Voici 10 instruments de base que tu devrais avoir dans ta cuisine.

1. **Tamis à spaghettis** : as-tu déjà fait des pâtes sans tamis?

2. **Fouet** : utile pour battre des œufs ou monter de la crème fouettée.

3. **Bol à mélanger** : pour confectionner des pâtisseries complexes ou simplement faire un mélange à crêpes, des bols à mélanger sont essentiels même dans les cuisines à petit budget.

4. **Mélangeur** : pour les gâteaux et les pommes de terres en purée. Si tu n'as pas les moyens de t'en acheter un, vole celui de ta mère. Quand tu vas la recevoir à souper, le tout sera oublié.

5. **Plat à lasagne** : pour des lasagnes, plats gratinés, rôtis de viande ou même comme bain-marie, un bon plat de cuisson va te sauver une tonne de fric !

Des outils utiles

6 Pince de cuisine : afin de retourner tes pièces de viande et tes légumes sans te brûler.

7 Épluche-légumes : parce qu'éplucher une carotte au couteau, c'est poche en 🐾🐙❓🔥❗🦀🐚 !

8 Couteau : un couteau bien affilé est le meilleur ami du cuisiner. Apprends à le manier comme un pro. Les films de kung-fu pourront t'inspirer…

9 Chaudron : pour des grosses *batches* de soupe ou de sauce ou des plats mijotés.

10 Mixette sur pied : Un *must* ! Si c'est trop cher, tu peux en demander une pour Noël. Idéale pour réduire des soupes en purée et confectionner des vinaigrettes.

L'homme a commencé à cuisiner bien avant l'invention de tous les articles mentionnés. Toutefois, avec ces 10 instruments, tu pourras plus facilement réaliser toutes les recettes dans ce livre.

Techniques de base

Il faut apprendre à marcher avant de courir. Même si cuire des pâtes ou du riz semble banal, peu de gens le font correctement. Avec les bases suivantes, des milliers de recettes sont maintenant à ta portée.

Pâtes alimentaires

Presque aussi populaires au Québec qu'en Italie! La cuisson des pâtes alimentaires est toujours un sujet de controverse. Ce n'est pourtant pas sorcier ! Dans une grande quantité d'eau bouillante salée, plonger les pâtes, les remuer fréquemment, les cuire 1 minute de moins qu'indiqué sur l'emballage du fabricant, les égoutter au tamis sans les rincer puis les asperger d'huile végétale ou d'olive pour ensuite les ajouter à tes recettes favorites.

Riz

Ce n'est pas du chinois, mais ça peut sembler plus complexe que les pâtes. En général, pour le riz blanc (grains longs ou courts), je te suggère de faire revenir (suer) ½ oignon, puis de verser 2 tasses d'eau. Au moment où l'eau bout, ajouter 1 tasse de riz et 1 pincée de sel. Couvrir et baisser le feu à minimum. Le riz sera cuit dans 20 minutes.

Couscous (ou semoule)

Si c'est le grain le plus mangé en Afrique, c'est sûr que c'est pas cher. Mélanger dans un bol 1 tasse de couscous avec 100 ml d'huile d'olive ou d'huile végétale, rajouter 100 ml d'eau bouillante et couvrir. Attendre simplement 5 minutes. Mélanger ensuite avec une fourchette puis servir le couscous avec une viande, un poisson ou des légumes.

Légumes racines

Ces légumes poussent tous sous terre et prennent du temps à cuire. C'est pourquoi ils ont une technique de cuisson bien à eux. Les plonger dans une grande quantité d'eau froide salée, amener l'eau à ébullition, baisser le feu à moyen et laisser mijoter jusqu'à ce que les légumes soient tendres. Servir en purée ou taillés en morceaux.

Légumes verts

Contrairement aux légumes racines, plonger les légumes verts dans une grande quantité d'eau salée déjà bouillante et les cuire jusqu'à la cuisson désirée. La meilleure façon de savoir si tes légumes sont cuits, c'est d'y goûter.

Tomate émondée

En bon français, une tomate pelée. Prendre une tomate, en enlever le cœur (pédoncule), puis plonger dans l'eau bouillante environ 30 secondes. Tremper ensuite la tomate dans de l'eau froide. Tu vas voir, la peau s'enlève toute seule!

Les coupes

Attention aux doigts ! Chaque coupe a son propre nom. Bien qu'il y ait une bonne vingtaine de coupes différentes, avec les six qui suivent, t'es bien parti.

- - - - - - - - - - - - - - - - - -

Brunoise
Couper en brunoise, c'est tailler les légumes en dés de 2 mm. Des ♥☆?✷! de petits cubes...

- - - - - - - - - - - - - - - - - -

Macédoine
Couper en macédoine, c'est tailler des dés de 5 mm.

- - - - - - - - - - - - - - - - - -

Julienne
Couper en julienne, c'est tailler des légumes en bâtonnets mesurant 5 cm de longueur par 2 mm de largeur. Comme des spaghettinis, cette coupe est idéale pour la cuisson rapide.

- - - - - - - - - - - - - - - - - -

Jardinière
Couper en jardinière, c'est tailler des bâtonnets mesurant 5 cm par 5 mm. C'est ainsi qu'on coupe les légumes pour la trempette.

- - - - - - - - - - - - - - - - - -

Ciseler
Couper des dés d'oignon le plus petit possible. Mets des lunettes fumées pour ne pas pleurer, en plus tu vas avoir l'air *cool*.

- - - - - - - - - - - - - - - - - -

Émincer
Couper des demi-rondelles d'environ 2 mm d'épaisseur, ou le plus mince possible.

- - - - - - - - - - - - - - - - - -

Coupe Longueuil
Euhh... pas une coupe culinaire.

Party!!!

« Quand on se réunit entre amis, on se met immanquablement à avoir faim à un moment donné... »

Quoi de mieux pour un party, que des grosses *batches* de bouffe pas chère et facile à réaliser ? Chacune de ces recettes peut facilement s'adapter pour des troupes de 5 à 15 personnes et se lancent aussi bien qu'elles se mangent...

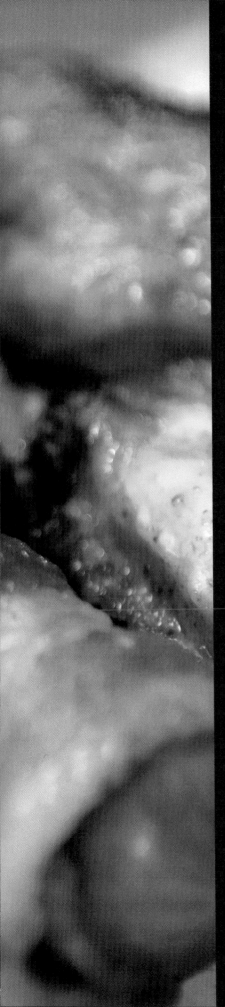

Ailes de poulet épicées

Quand ton party a besoin d'ailes pour décoller. Aussi une vieille technique de taverne pour augmenter la consommation de bière...

Pour un trio de *chums* qui n'a pas peur d'aller dans les coins :

Environ 24 ailes de poulet
- -
250 ml d'huile végétale
- -
1 c. à soupe de poivre de cayenne
- -
1 c. à soupe de poivre moulu
- -
1 c. à soupe de chili broyé
- -
1 c. à thé de sauce Tabasco
(pour les courageux)
- -
1 c. à soupe de sel

Dans un gros bol, mélanger les ailes avec l'huile et les épices.

Étaler sur une plaque.

Cuire au four préchauffé à 190°C (375 °F) pendant environ 45 minutes.

Servir avec un bol en extra pour ramasser les os.

Note : quand tu manges un aliment épicé, évite de boire de l'eau ou de la bière pour que ça brûle moins. Ça va juste accentuer la sensation de brûlure. Le meilleur truc, c'est de boire du lait ou de manger du pain.

Saucisses cocktail

La seule recette du livre où j'utilise une sauce vendue en magasin et de la viande mécaniquement séparée.

Un petit quelque chose pour ceux qui disent qu'on fait de la cuisine *trash* :

12 tranches de bacon coupées en 3
- -
12 saucisses à hot dogs tranchées en 3
- -
500 ml de sauce chinoise à l'ail (communément appelée sauce VH)

Enrouler 1 bout de bacon autour de chacun des bouts de saucisse.

Mettre dans un plat allant au four et couvrir de sauce à l'ail.

Cuire au four préchauffé à 190 °C (375 °F) environ 20 minutes.

Servir.

Note : même si cette recette est pratiquement nulle côté valeur nutritive, elle a prouvé son succès dans les partys depuis des générations. Il est d'importance nationale que ce patrimoine culinaire soit transmis aux jeunes.

Pop-corn au caramel

Idéal pour épater la chanceuse que tu as invitée pour «écouter un film» à la maison.

En plus de payer ta dette au club vidéo, t'auras besoin de :

Pop-corn

100 ml d'huile végétale

½ tasse de grains de maïs

Caramel

4 c. à soupe de sucre blanc

3 c. à soupe de beurre

Préparation du *pop-corn*

Dans un chaudron à feu moyen, chauffer l'huile, ajouter les grains de maïs et couvrir.

Quand t'entends les premiers grains éclater, remue le chaudron vigoureusement toutes les 20 secondes environ.

Lorsque t'entends plus de maïs éclater, c'est qu'il est prêt.

Retirer du feu. T'entends!?

Préparation du caramel

Dans une poêle à feu moyen, verser le sucre blanc.

Quand le sucre se met à fondre, mélanger légèrement à l'aide d'une cuillère afin que la cuisson se fasse uniformément.

Quand le sucre se transforme en sirop et prend une couleur dorée, le retirer tout de suite du feu (car le sucre brûle rapidement et goûte mauvais après).

Incorporer le beurre au sirop hors du feu.

Ajouter le *pop-corn* au caramel encore chaud.

Mélanger et servir dans un bol assez gros pour deux mains, ou plus.

Note : ce pop-corn est aussi pour visionner des films d'action, de films d'horreur, comédies ou des drames eurs.

Chili végétarien

Quoi de mieux qu'un super bol de chili pour célébrer la grand-messe sportive états-unienne qu'est le *Super Bowl*.

Pour 4 quarts-arrières de salon :

1 *canne* de 540 ml de fèves rouges

1 *canne* de 540 ml de fèves blanches

100 ml d'huile végétale

2 gousses d'ail hachées

1 oignon coupé en gros dés

2 poivrons verts coupés en gros morceaux

2 *cannes* de 796 ml de tomates broyées

3 c. à soupe de cumin

1 c. à soupe de chili broyé

Sel et poivre, au goût

Égoutter les fèves rouges et blanches à l'aide d'un tamis à spaghettis et bien les rincer.

Dans un gros chaudron à feu moyen, chauffer l'huile végétale.

Faire revenir (suer) l'ail et l'oignon.

Ajouter dans l'ordre : les poivrons verts, les tomates broyées, les fèves et terminer avec les épices.

Laisser mijoter à feu doux environ 1 heure 30 minutes.

Saler, poivrer et servir avec des *chips* de maïs, du riz ou du pain.

Note : pour la version con carne, cuire 500 g de viande hachée avant d'ajouter les légumes. Les fèves sont conservées dans une saumure qui a très mauvais goût. Il est donc très important de bien les égoutter et de les rincer avant de les cuisiner.

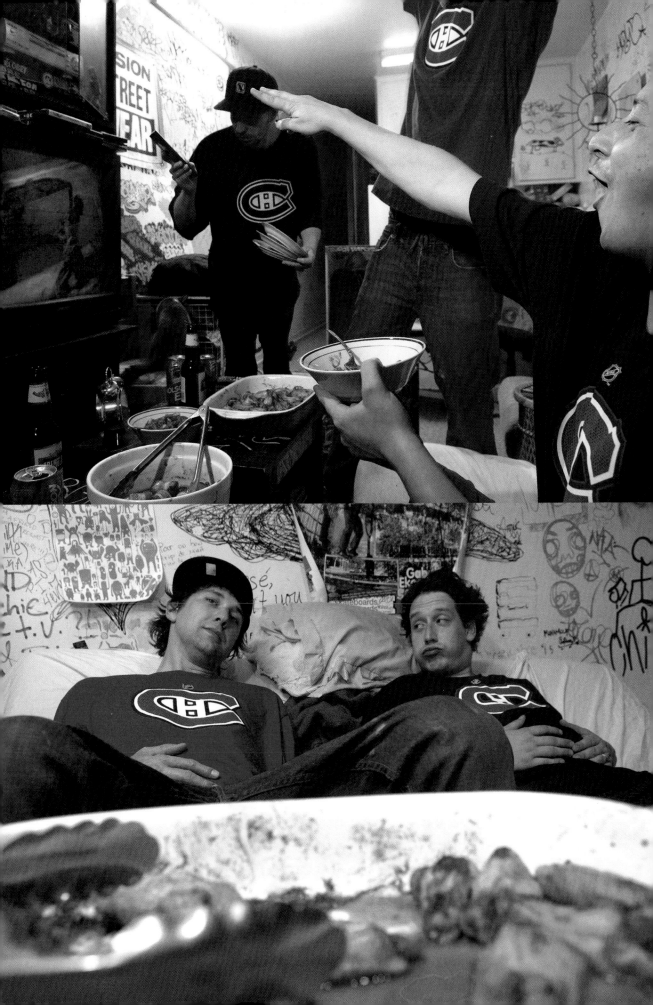

Les trempettes

Tes convives pourraient sûrement se contenter d'un sac de *chips*. Mais si tu veux rehausser le party, force-toi un peu. Les trempettes sont un bon départ pour accompagner des croustilles, des légumes, du pain pita ou des crevettes.

Note : tu peux ajouter 1 gousse d'ail hachée (sans son germe) à la plupart de ces trempettes, mais si tu prévois frencher plus tard dans la soirée, personnellement, je l'éviterais.

1 Salsa

Depuis 1999, ce condiment est le plus vendu aux États-Unis, devançant la moutarde et le ketchup. Vive le libre-échange !

2 tomates émondées
(voir Techniques de base, à la page 17)

1 oignon rouge coupé en petits dés

1 c. à soupe de coriandre fraîche hachée ou sèche moulue

1 poivron vert coupé en petits morceaux

½ c. à thé de chili broyé

3 gouttes de sauce Tabasco

Couper les tomates en petit cubes et déposer dans un bol.

Ajouter le reste des ingrédients.

Mélanger et servir.

2 Tatziki

Idéale avec des brochettes de porc ou de poulet et des légumes.

250 ml de crème sure

250 ml de yogourt nature

½ concombre épluché, haché, sans ses pépins

Jus de ½ citron

Sel et poivre, au goût

Mélanger tous les ingrédients dans un bol.

Assaisonner et servir.

3 Trempette à fruits de mer

Idéale avec des crevettes ou de la goberge.

100 ml de ketchup

200 ml de mayonnaise

Mélanger le ketchup à la mayonnaise.

Placer judicieusement dans un bol au milieu de la couronne de crevettes.

4 Trempette au fromage

Idéale avec les légumes.

100 g de cheddar
(si tu n'as pas de balance, **check** combien de grammes il y a dans ton bloc de fromage, ça va t'aider à pratiquer tes fractions)

100 g de mozzarella

40 g de fromage bleu

250 ml de crème 35 %

Dans un chaudron à feu moyen, fondre le fromage avec la crème tout en remuant.

Refroidir et servir.

5 Guacamole

Idéale avec des tortillas.

4 avocats bien mûrs

2 gousses d'ail hachées sans leur germe

75 ml de jus de citron

Sel et poivre, au goût

75 ml d'huile végétale

Couper les avocats en deux dans le sens de la longueur et retirer le noyau.

Déposer la chair d'avocat dans un bol avec l'ail et le jus de citron.

Broyer à l'aide d'une mixette sur pied.

Saler, poivrer et servir.

Note : pour éviter que la guacamole brunisse, mets une fine couche d'huile sur le dessus.

6 Hummus

Idéale avec des pitas ou les cigares en feuilles de vigne
(voir la recette à la p. 37)

1 *canne* de 541 ml de pois chiches

100 ml d'huile d'olive ou d'huile végétale

Jus de 1 citron

Sel et poivre, au goût

Égoutter les pois chiches à l'aide d'un tamis à spaghettis et bien les rincer.

Mettre tous les ingrédients dans un bol et broyer à l'aide d'une mixette sur pied.

Saler, poivrer et servir.

Pilons de poulet

J'aime les poitrines, mais j'ai toujours été un gars de cuisses.

Pour un souper de gang à l'improviste :

2 carottes de taille moyenne tranchées en rondelles

1 oignon émincé

4 pommes de terre moyennes coupées en cubes

16 pilons de poulet (chercher le format familial à l'épicerie)

3 c. à thé de moutarde de Dijon

2 c. à thé de miel

100 ml de bière

Sel et poivre, au goût

Dans un plat allant au four, déposer tous les légumes et couvrir avec les pilons de poulet.

Dans un bol, mélanger la moutarde, le miel et la bière.

Saler et poivrer.

Verser le mélange sur le poulet.

Cuire au four préchauffé à 190°C (375 °F) environ 1 heure 15 minutes.

Servir en utilisant le jus qui se forme dans le fond du plat comme sauce.

Note : en plus d'être délicieux, les pilons de poulet évitent les chicanes entre cuisse et poitrine que provoquent les poulets entiers.

Dattes farcies aux saucisses italiennes

Le parfait canapé pour l'épicurien de salon.

Pour les plus strass et paillettes :

25 dattes fraîches

2 saucisses italiennes douces ou fortes coupées en petits morceaux

Faire une incision dans chaque datte afin d'enlever le noyau : essayer de garder la datte en un seul morceau.

Farcir la datte d'un morceau de saucisse.

Étaler sur une plaque allant au four.

Envoyer au four préchauffé à 190°C (375 °F) environ 20 minutes.

Servir sur un plateau chic et distribuer fièrement à tes convives.

Note : en hôtellerie, on calcule habituellement 3 canapés par convive... Dans ce cas-ci, je te conseille d'en prévoir plus.

Cigares en feuilles de vigne

Directement du Moyen-Orient, une vraie bombe dans ton assiette!

Pour une milice qui a faim de liberté :

½ tasse de riz

500 g de bœuf haché

½ oignon haché

2 c. à soupe de menthe séchée

Sel et poivre, au goût

1 pot de 1 litre de feuilles de vigne (disponible dans tous les bons supermarchés)

1 citron coupé en deux

Dans un bol, mélanger le riz sec avec le bœuf, l'oignon et la menthe.

Saler et poivrer.

Rouler une petite boule de farce et la placer en plein centre d'une feuille de vigne.

Rouler la feuille comme un cigare.

Répéter tant qu'il y a de la farce et des feuilles.

Déposer chaque rouleau dans un chaudron et remplir d'eau froide sans submerger les cigares.

Ajouter les moitiés de citron et saupoudrer d'un peu de menthe séchée.

Amener le tout à ébullition, baisser à feu doux et laisser mijoter environ 1 heure.

Servir chaud ou froid.

Note : le meilleur accompagnement aux cigares est de l'hummus ou encore le tatʒiki (voir recettes à la p. 31).

Œufs farcis

Dans la lignée des saucisses cocktail, sandwichs pas de croûte, céleri au Cheez Whiz et autres classiques de festivités. Un buffet ne serait pas un buffet sans des œufs farcis.

Pour un bon party (au moins 15 invités, sinon invite-moi pas) :

24 œufs cuits durs
(voir Tout sur les œufs, à la p. 44)

1 tasse de mayonnaise

6 échalotes vertes ciselées

Sel et poivre, au goût

Retirer la coquille de tous les œufs et les couper en deux.

Retirer les jaunes en faisant attention de ne pas abîmer les blancs.

Écraser les jaunes dans un bol et mélanger avec la mayo et les échalotes.

Saler et poivrer.

Farcir chaque demi-blanc du mélange de jaunes.

Étaler sur une assiette et déguster.

Note : les œufs sont pleins de protéines. Ils vous donneront de l'énergie pour faire le party toute la nuit. Ils sont aussi très gras, donc comme le party, ils sont à consommer avec modération.

Meat balls

Les *meat balls* sont les munitions parfaites pour un *food fight* (bataille de bouffe). Mais défense de lancer celles-ci parce qu'elles sont trop délicieuses.

Boulettes qui roulent amassent sauce :

2 kg de viande hachée mi-maigre

1 tasse de chapelure

2 œufs entiers

Environ 10 gouttes de sauce Tabasco

Sel et poivre, au goût

Mélanger tous les ingrédients dans un bol.

Avec les mains, façonner des boulettes d'environ 3 cm de diamètre.

Cuire quelques boulettes à la fois dans un grand chaudron d'eau bouillante environ 6 minutes.

Servir dans un plat avec de la sauce tomate chaude (voir la recette à la p. 151).

Note : ajoute-les à ta sauce à spaghetti et ça te fait un spaghetti meat balls... avec des boulettes.

Lendemain de veille

« Que tu aies passé la soirée à faire subir 12 rondes de boxe à ton foie ou que tu te sois couché immédiatement après la tombée du soleil... »

Le repas le plus important de tous est le déjeuner. Un bon déjeuner donne l'énergie nécessaire pour accomplir toutes les activités de la journée (ou se remettre de celles de la veille). Ce repas peut être simplement composé d'un fruit, d'un morceau de fromage et d'une toast au beurre. Si tu manques d'imagination, voici quelques idées, sans oublier les classiques.

Tout sur les œufs

Souvent boudés à cause de leur haute teneur en cholestérol, les œufs demeurent gagnants pour les sportifs et les hyperactifs aux journées bien remplies. Grâce à leur forte teneur en lipides et en protéines, ils assurent une dose d'énergie durable. De plus, les œufs sont faciles à digérer. Ils sont donc idéaux pour n'importe quel repas de la journée, mais surtout, ils sont un élément essentiel du lendemain de veille.

Il y a plein de façons de concocter des œufs. Voici les plus populaires.

1 Brouillés

Pour des *scrambled eggs* parfaits, bien fouetter 3 œufs avec 50 ml de lait. Le secret, c'est de les cuire à feu moyen dans une poêle contenant un peu d'huile ou de beurre. Remuer jusqu'à la cuisson désirée. Servir aussitôt.

2 Au miroir

Dans une poêle anti-adhésive, chauffer un peu d'huile végétale à feu moyen. Casser les œufs, déposer dans la poêle et laisser cuire 3 minutes sans les retourner. Retirer à l'aide d'une spatule et servir.

3 Tournés

Même procédé que pour les œufs au miroir, sauf qu'on les retourne à mi-cuisson à l'aide d'une spatule. En bon québécois, on les appelle aussi les «pas pétés virés», ce qui reflète effectivement assez bien l'opération.

4 Cuits durs

Plonger les œufs avec leur coquille dans un chaudron contenant de l'eau bouillante. Cuire 10 minutes, retirer et rincer à l'eau froide afin de faciliter l'enlèvement de la coquille. Les œufs cuits durs se gardent 5 jours au frigo.

5 Pochés

Dans un petit chaudron contenant de l'eau bouillante et 25 ml de vinaigre blanc, casser des œufs crus et cuire environ 2 ½ minutes. Retirer à l'aide d'une cuillère à trous et servir.

6 À la coque

Plonger les œufs dans l'eau bouillante environ 3 ½ minutes. Retirer à l'aide d'une cuillère à trous. Déposer chaque œuf avec sa coquille sur un verre à *shooter*. Fendre le dessus de la coquille, retirer une petite partie du dessus et tremper tes toasts dans le jaune d'œuf coulant. Dresser le p'tit doigt en l'air pour plus de style.

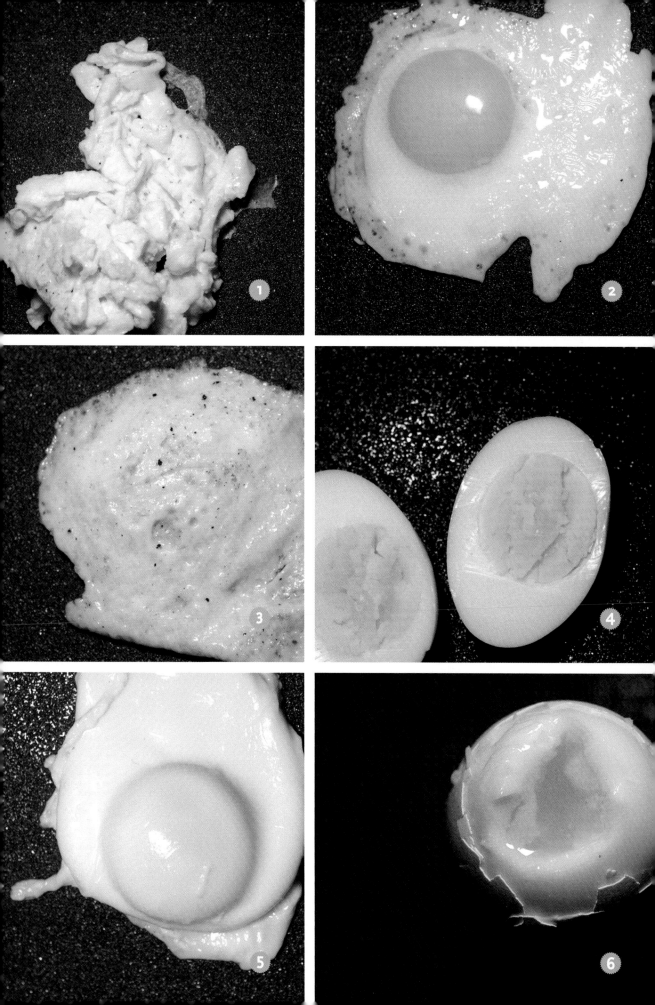

Déjeuner santé

T'as toujours ce qu'il faut dans le frigo pour partir la journée du bon pied. Si ce n'est pas le cas, tu devrais faire ton épicerie.

Pour les matins où tu te lèves seul:

2 œufs pochés
(voir Tout sur les œufs, à la p. 44)

- -

2 tranches de pain (du pain brun ou du pain de seigle de préférence)

- -

1 fruit coupé en 4

- -

2 morceaux de cheddar

- -

Beurre, beurre d'arachide ou confiture

Préparer les œufs.

Griller le pain et le beurrer.

Servir les œufs sur les toasts.

Accompagner des quartiers de fruit et du fromage.

Note : ce déjeuner en apparence simple est composé des 4 groupes alimentaires. Si certains principes du guide alimentaire canadien peuvent être remis en question, une chose est certaine, manger le matin, c'est beaucoup mieux que de ne pas le faire.

Pommes de terre à l'oignon

Si tu cuisines cette recette pour la première fois, tu vas penser que tu as manqué ton coup. À première vue, le résultat peut avoir l'air d'un gros cambouis. Pourtant, ces patates ont fait ma renommée dans mon entourage bien avant que je sois Chef Bob. Comme on dit : il ne faut jamais se fier aux apparences...

Pour 2 personnes qui ont trop fêté la veille :

75 ml d'huile végétale

1 gros oignon tranché en demi-rondelles très minces

2 grosses pommes de terre coupées en cubes (gros ou petits, ça ne dérange pas)

500 ml d'eau

1 c. à soupe de beurre

Sel et poivre, au goût

Chauffer l'huile dans une poêle à feu maximum.

Y jeter l'oignon sans trop remuer (ça permettra de bien le caraméliser).

Une fois l'oignon caramélisé (brun), ajouter les pommes de terre.

Ajouter l'eau et baisser le feu à moyen afin que tout mijote.

Habituellement, quand l'eau s'est évaporée (on dit réduit dans le métier) les pommes de terres sont cuites. Si ce n'est pas le cas, ajouter environ 100 ml d'eau et laisser réduire de nouveau.

Ajouter le beurre.

Saler et poivrer.

Servir aussitôt.

Note : un accompagnement idéal au déjeuner. Mais j'avouerai que j'aime tellement cette recette de patates que je m'en fais aussi au souper.

Omelette aux champignons et au fromage

Mesdames, voici un « homme laite » qui vous fera plaisir !

Une fois que tu maîtriseras cette recette, tu pourras l'essayer avec d'autres ingrédients.

Pour 2 bons appétits matinaux :

75 ml d'huile végétale

4 champignons de taille moyenne émincés

3 œufs battus

125 ml de lait

Sel et poivre, au goût

4 tranches de cheddar tranchées mince ou râpées

Chauffer l'huile dans une poêle à feu fort et y cuire les champignons en les remuant environ 2 minutes.

Ajouter les œufs préalablement battus avec le lait, le sel et le poivre.

Quand les bords de l'omelette commencent à cuire, couvrir de fromage.

Envoyer au four à *broil* environ 2 minutes.

Couper et servir.

Note : certains préfèrent « flipper » leur omelette dans la poêle plutôt que de l'envoyer au four. Ça fonctionne aussi très bien, mais ça peut parfois s'avérer plus complexe que ça en a l'air et se terminer en gros gâchis. Même si ta poêle a un manche en plastique, il ne fondra pas si tu la laisses seulement 2 minutes au four.

Pain doré
aux bleuets

Le pain doré est un classique. Il est aussi délicieux nature. Mais on ne sait jamais, tu pourrais te réveiller aux côtés d'une Saguenéenne...

Pour séduire une bleuette au déjeuner :

4 œufs

½ tasse de sucre + 1 c. à soupe

75 ml de lait

75 ml d'huile végétale

2 c. à soupe de beurre

6 tranches de pain tranché

1 casseau de bleuets

Dans un grand bol, battre les œufs avec ½ tasse de sucre.

Ajouter le lait et battre de nouveau.

Dans une poêle à feu moyen, chauffer l'huile et la moitié du beurre.

Tremper une tranche de pain à la fois dans le mélange d'œufs et déposer dans la poêle.

Cuire environ 2 minutes de chaque côté et réserver.

Dans la même la poêle, ajouter les bleuets et la cuillère de sucre.

Laisser mijoter 1 minute et ajouter l'autre moitié du beurre.

Servir le pain doré avec la compote de bleuets.

Note : afin de garder les premières tranches de pain doré au chaud pendant la cuisson des autres, mets-les au four préchauffé à 65 °C (150 °F). Si ça marche pour une Saguenéenne, sache que ça fonctionne aussi bien avec des fraises ou des framboises pour les filles des autres régions...

Crêpes

Je ne sais pas si c'est parce que j'ai fait du *skateboard* pendant plus de 10 ans, mais que je sois seul ou en groupe, j'aime toujours faire «flipper» mes crêpes bien haut. Si tu as une bonne poêle sous la main, je te lance le défi du triple *flip*. Ça rend la recette 100 fois plus intéressante!

Pour une session de haute voltige culinaire (environ 4 à 6 crêpes):

2 œufs

⅓ tasse de sucre

3 c. à soupe d'huile végétale

1 tasse de farine

250 ml de lait

Sel et poivre, au goût

75 ml d'huile végétale

Dans un bol, battre les œufs avec le sucre et les 3 c. à soupe d'huile.

Ajouter, en alternant, la farine et le lait (pour éviter qu'il y ait des grumeaux).

Saler et poivrer.

Chauffer l'huile végétale dans une poêle à feu moyen.

Ajouter assez de pâte à crêpes pour couvrir le fond de la poêle.

Quand la crêpe commence à former des bulles, la retourner et poursuivre la cuisson environ 2 minutes.

Servir avec du sirop d'érable, de la confiture ou de la cassonade.

Note : essaie cette recette en ajoutant 1 œuf et 1 tasse de gruau après avoir ajouté le lait et la farine. Si tu manques ton flip et que ta crêpe tombe par terre, évite de la manger. Remets-la plutôt dans la poêle et continue à te pratiquer... T'en as besoin!

Muffins aux pommes

Le muffin est un excellent déjeuner si tu te lèves tard, car tu peux le manger sur le chemin de l'école ou du boulot. Tant qu'à en préparer, fais-en une bonne *batch* et tu pourras en apporter à tes collègues. Tu pourrais te faire de nouveaux amis...

Pour 24 muffins :

2 ½ tasses de farine

1 c. à thé de bicarbonate de soude

1 pincée de sel

2 œufs

250 ml de lait

1 ½ tasse de cassonade

125 ml d'huile végétale

2 tasses de pommes coupées en dés

Dans un bol, mélanger la farine, le bicarbonate de soude et le sel puis réserver.

Dans un autre bol, mélanger les œufs, le lait et la cassonade.

Ajouter l'huile.

Verser graduellement le mélange d'ingrédients secs dans le mélange d'œufs.

Terminer en incorporant les pommes.

Remplir à moitié les moules à muffins préalablement beurrés.

Cuire au four préchauffé à 190°C (375 °F) pendant 25 minutes.

Garnir de ton glaçage favori.

Note : garnis de ton glaçage préféré, tes muffins sont moins santé, mais c'est bien meilleur ! Et la p'tite brune à lunettes que tu trouves cute dans ta classe appréciera d'autant plus si tu l'as fait toi-même... (voir Glaçages, à la p. 181).

Corbeille de fruits frais

Pas toujours besoin de sortir les poêles et de salir plein de vaisselle pour faire un bon déjeuner.

Pour un paresseux qui n'a pas de lave-vaisselle :

1 cantaloup

1 casseau de framboises

6 fraises

1 casseau de bleuets

2 c. à soupe de yogourt nature

Couper le cantaloup en 2 et le vider à l'aide d'une cuillère sans abîmer la pelure.

Couper la chair de cantaloup en morceaux et les mettre dans un bol.

Y ajouter les framboises, les fraises et les bleuets.

Remplir chaque demi-cantaloup avec le mélange de fruits.

Décorer avec le yogourt.

Servir.

Note : bien que ce déjeuner soit facile à réaliser, la simple utilisation du cantaloup comme bol de service épate toujours !

Shake
aux fruits

Méfie-toi de toutes ces imitations de boissons énergétiques pleines de caféine et de produits douteux Voici la seule vraie boisson énergétique qui te donnera des ailes…

Pour 4 personnes amorphes qui ont besoin d'un petit remontant :

2 bananes bien mûres

12 fraises

250 ml de jus d'orange

Mettre tous les ingrédients dans un pichet ou un bol et broyer avec la mixette sur pied jusqu'à l'obtention d'une texture lisse.

Servir dans ton verre favori.

Note : tu peux remplacer les fraises par des bleuets, des framboises ou même des mûres.

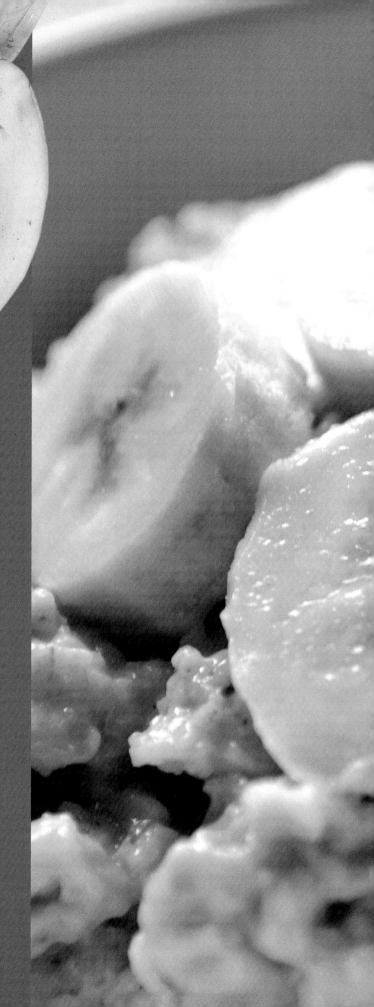

Gruau aux bananes

Idéale comme déjeuner ou comme collation hivernale réconfortante, cette recette prend exactement 7 minutes à exécuter.

Pour 4 personnes qui n'aimaient pas le gruau avant d'y avoir goûté :

½ tasse de gruau

250 ml de lait chaud

2 bananes mûres en purée

2 c. à thé de cassonade

1 banane tranchée (pour décorer)

Dans un chaudron, ajouter le gruau au lait chaud.

À feu moyen, brasser doucement environ 3 minutes.

Ajouter les bananes en purée et la cassonade.

Brasser encore 1 minute.

Servir dans des bols et décorer avec les tranches de banane.

Note : tu peux remplacer la cassonade par 150 ml de sirop d'érable. Mais si tu utilises les deux en même temps, c'est encore meilleur !

Repas à moins de 10 $

« Ah non, j'ai invité une fille à souper chez nous pis tout ce que je sais faire, c'est du macaroni au fromage en boîte… »

Crois-le ou non, c'est comme ça que je me suis intéressé à la cuisine. Tu n'épateras jamais une fille (ou un gars) avec du macaroni, même si tu as la délicatesse d'y ajouter des saucisses à hot dogs… N'aie plus peur de recevoir. Si tu suis les méthodes de ces recettes et y mets un peu du tien, tes convives en redemanderont.

Poulet à la bière

La bière est un excellent assaisonnement. Comme on en a souvent sous la main lors d'un BBQ, l'équation est évidente. Pour ceux qui pourraient penser que cuisiner avec de la bière est *trash*, sachez que nos grands-mères cuisinent avec cet ingrédient depuis des siècles.

1 poulet entier

1 cannette de 350 ml de bière de ton choix

Sel et poivre, au goût

Insérer la *canne*tte ouverte de bière dans le derrière du poulet.

Saler et poivrer le poulet

Déposer le poulet debout, la *canne*tte sur la grille du BBQ bien chaud.

Couvrir et cuire 1 heure pour un poulet de 1,5 kilo (pour chaque demi-kilo de plus, ajouter 15 minutes de cuisson).

Vérifie que le poulet est bien cuit et déguste à même le BBQ (de grâce, évite les assiettes et les ustensiles jetables!)

Note : selon le même principe, on pourrait utiliser une canne de sauce tomate, de sirop d'érable ou même de coca-cola. Cette recette est idéale pour une gang d'amis sur le bord du feu... Ou de la piscine.

Fricassée de poulet

Mon genre de repas : tout se fait en un seul plat! Ce qui évite du coup l'accumulation de vaisselle. Car on sait que la vaisselle, lors d'un souper d'amoureux, c'est un *turn-off*...

Pour 2 amateurs de viande blanche et 2 de viande brune :

2 carottes de taille moyenne tranchées en rondelles

2 oignons coupés en dés

2 pommes de terre coupées en cubes

2 hauts de cuisse de poulet

2 poitrines de poulet

10 tranches de bacon coupées en petits morceaux

1 c. à soupe de beurre

½ bouteille de bière de ton choix

Sel et poivre, au goût

Dans un plat allant au four, déposer tous les légumes.

Ajouter le poulet et le bacon puis verser la bière.

Ajouter le beurre et envoyer au four préchauffé à 210 °C (400 °F) environ 1 heure.

Servir avec les légumes et le jus qui se trouve dans le fond du plat.

Note : même si tu vis seul, n'hésite pas à te faire cette recette. Ça te fera des lunchs pour la semaine et tu peux récupérer ton poulet dans un club sandwich ou un hot chicken sur le pouce.

Poulet rôti

Il est très important de bien cuire ton poulet, car un poulet pas assez cuit pourrait te rendre malade.

1 poulet entier de 1 kg

75 ml d'huile d'olive ou d'huile végétale

Sel et poivre, au goût

1 citron coupé en 2

6 branches de thym ou de romarin (facultatif, mais bien meilleur)

Déposer le poulet entier dans un plat allant au four.

Enduire le poulet d'huile à l'aide de tes mains puis saler et poivrer.

Squeezer le citron au-dessus du poulet et insérer les 2 moitiés dans le derrière du poulet.

Déposer les branches de thym ou de romarin sur le poulet.

Cuire au four préchauffé à 210 °C (400 °F) environ 1 heure (pour chaque demi-kilo de plus, ajouter 15 minutes de cuisson).

Vérifier la cuisson, laisser reposer et servir.

Note : pour vérifier si le poulet est cuit, prends une fourchette et pique-la entre la cuisse et la poitrine. Si la cuisse se détache facilement, le poulet est cuit.

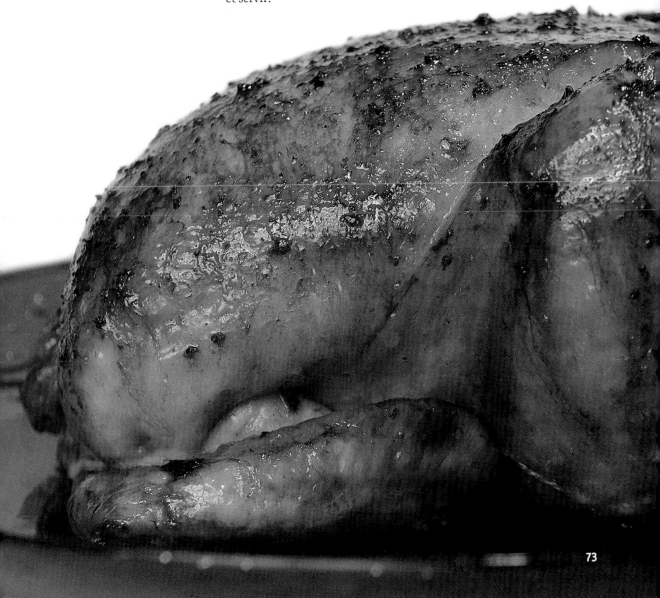

Gratin de légumes

Si t'as récemment vu un documentaire sur comment on tue les animaux dans les abattoirs, cette recette est pour toi.

Pour un repas «vedge» :

4 carottes tranchées en rondelles

2 pommes de terre coupées en cubes

Sel, au goût

½ tête de brocoli

½ chou-fleur

2 poivrons rouges ou verts coupés en morceaux

500 ml de sauce béchamel (voir la recette à la p. 157)

1 tasse de fromage râpé

Cuire les carottes et les pommes de terre dans l'eau salée environ 6 minutes.

Égoutter et refroidir à l'eau froide.

Dans un autre chaudron rempli d'eau bouillante salée, cuire le brocoli et le chou-fleur environ 2 minutes. Égoutter et refroidir à l'eau froide.

Dans un plat allant au four, mélanger les légumes avec les poivrons et la sauce béchamel.

Rectifier l'assaisonnement.

Couvrir de fromage et cuire 20 minutes au four préchauffé à 190°C (375 °F).

Servir.

Note : l'été, quand les légumes sont de saison, c'est encore meilleur!

Gratin d'aubergines

L'aubergine ne sert pas seulement de décoration dans l'allée des fruits et légumes de ton épicerie. On peut cuisiner avec...

Pour découvrir ce gros légume mauve :

125 ml d'huile d'olive
ou d'huile végétale

2 aubergines tranchées
en rondelles d'environ 1 cm

Sel et poivre, au goût

750 ml de sauce tomate
(voir recette, à la p. 151)

2 tasses de mozzarella râpée

250 ml de sauce béchamel
(voir la recette à la p. 157)

Faire chauffer l'huile dans une grande poêle à feu maximum.

Saisir les tranches d'aubergine environ 30 secondes de chaque côté : saler et poivrer puis réserver.

Dans un grand plat allant au four, étaler par étages : aubergine, sauce tomate, fromage, aubergine, sauce béchamel, fromage, aubergine, sauce tomate, fromage.

Cuire au four préchauffé à 190 °C (375 °F) environ 40 minutes.

Servir en accompagnement ou comme repas principal.

Note : dans le fond, c'est comme une lasagne, mais on remplace les nouilles par des aubergines... C'est pas vraiment plus ou moins santé. Ça fait juste changement.

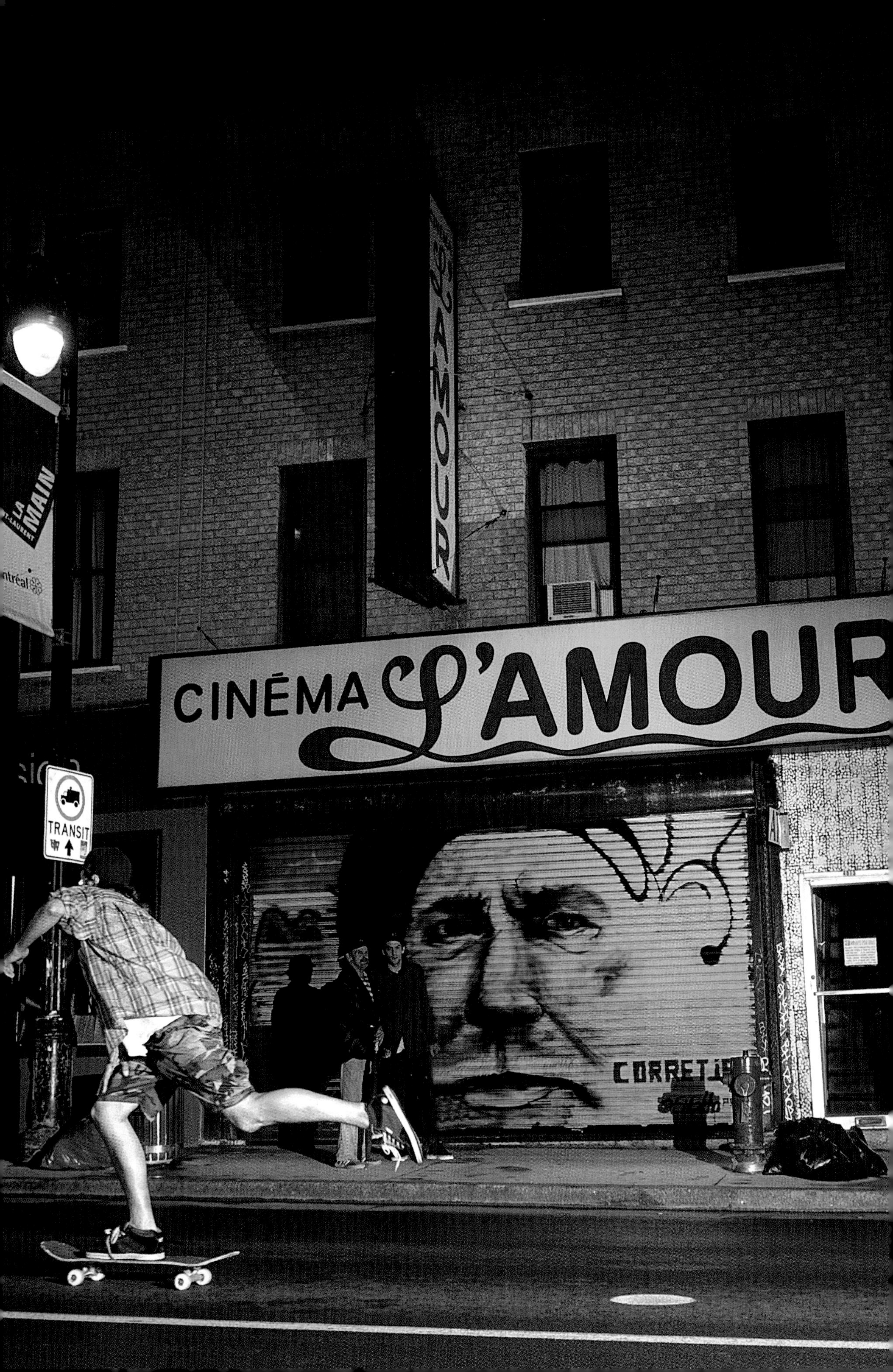

L'AMOUR
LA MAIN
ntréal
CINÉMA L'AMOUR
TRANSIT
CORRETJ

Pâtes putanesca
(à la façon des prostituées)

On dit qu'à l'époque, en Italie, les prostituées cuisinaient ce plat entre deux clients. C'est pour cette raison qu'il porte ce nom.

Pour toi et ta courtisane :

1 boîte de 500 g de pâtes alimentaires de ton choix

2 gousses d'ail hachées

75 ml d'huile d'olive ou d'huile végétale

10 filets d'anchois coupés en petits morceaux

Environ 20 olives noires sans noyau

2 c. à soupe de câpres

2 tomates coupées en gros dés

Sel et poivre, au goût

Cuire les pâtes (voir Techniques de base, à la p. 17).

Faire revenir l'ail dans l'huile dans une grosse poêle chauffée à feu moyen.

Ajouter les anchois, les olives, les câpres et les tomates.

Laisser mijoter environ 1 minute.

Ajouter les pâtes et mélanger.

Saler (goûter avant), poivrer et servir.

Note : les anchois et les câpres ne sont pas des ingrédients très populaires. Étrangement, on peut les trouver dans presque tous les magasins à 1 $.

Sauté de pâtes

Le sauté de pâtes est idéal quand on cuisine à petit budget. Tu peux faire des grosses *batches* pour les semaines où tu dois te serrer la ceinture. Si j'avais eu 1 $ pour chaque sauté que j'ai mangé au cégep, je serais riche !

Pour une gang d'étudiants cassés :

1 boîte de 500 g de pâtes alimentaires de ton choix

100 ml d'huile d'olive ou d'huile végétale

2 gousses d'ail hachées

1 oignon coupé en gros dés

1 poivron vert coupé en gros morceaux

8 champignons tranchés

2 tomates coupées en cubes

Sel et poivre, au goût

Cuire les pâtes (voir Techniques de base, à la p.17) et réserver.

Dans une poêle avec de l'huile chaude, sauter l'ail, l'oignon et le poivron environ 1 minute.

Ajouter les champignons et poursuivre la cuisson environ 2 minutes.

Ajouter les tomates et les pâtes et bien mélanger.

Saler, poivrer et déguster !

Note : le sauté de pâtes peut aussi se manger froid.

Pâtes à l'américaine
(Tuna casserole)

Un vrai classique *white trash*. Cette recette se compose à la base de macaroni au fromage auquel on ajoute, dans la tradition gourmet états-unienne, 1 *canne* de thon et 1 *canne* de champignons..: En voici une autre version pour les épicuriens de salon.

Quand il y en a pour 6, il y en a pour 4 - André Robine :

1 boîte de 500 g de pâtes alimentaires de ton choix

100 ml d'huile végétale

10 champignons de taille moyenne tranchés

1 *canne* de 250 ml de thon

250 ml de crème 35 %

Sel et poivre, au goût

1 tasse de fromage cheddar blanc râpé

Cuire les pâtes (voir Techniques de base, à la p. 17)

Faire chauffer l'huile dans une grande poêle à feu maximum et saisir les champignons.

Ajouter le thon et la crème.

Saler et poivrer.

Quand la crème commence à bouillir, ajouter les pâtes et laisser mijoter environ 1 minute.

Balancer le tout dans un plat allant au four, ajouter le fromage.

Gratiner au four à *broil*.

Servir avec un feu de bengale et un petit drapeau américain (attention, ce serait dommage que le drapeau prenne en feu...)

Note : pour une vraie touche américaine, remplacer le cheddar par des tranches de fromage orange. God bless America...

J'ai beaucoup d'amis qui ne mangent pas de poisson parce qu'ils ne savent pas comment l'apprêter. Cette recette est la plus facile à réaliser et peut se faire avec à peu près n'importe quel poisson.

Pour deux pêcheurs qui reviennent bredouilles :

2 filets de truite de 200 g chacun
50 ml d'huile végétale ou d'olive
1 gousse d'ail hachée
1 oignon de taille moyenne émincé
1 citron coupé en rondelles
Sel et poivre, au goût

Déposer chacun des filets sur une feuille de papier d'aluminium assez grosse pour l'envelopper.

Verser un peu d'huile sur chacun des filets.

Ajouter l'ail, l'oignon, les rondelles de citron, saler et poivrer.

Emballer sans compacter.

Cuire au four préchauffé à 190 °C (375 °F) de 8 à 10 minutes.

Retirer du papier et servir avec du riz blanc et tes légumes favoris.

Note : essaie la recette en ajoutant tes herbes et épices favorites comme le thym, le romarin ou l'estragon. Cette recette peut aussi être délicieuse l'été, cuite sur le BBQ.

Truite
saumonée
en papillotes

Tartare de saumon

Je n'ai jamais compris pourquoi autant de gens ont dédain du poisson cru. C'est pourtant si délicieux. On dit même que le tartare aurait des propriétés aphrodisiaques…

Pour un repas pour 2 digne d'un grand restaurant, mais pour une fraction de l'addition :

1 morceau de 375 g de saumon très frais (demander au poissonnier à l'épicerie de le trancher)

50 ml d'huile d'olive ou d'huile végétale

3 échalotes vertes émincées

Jus de ¼ citron

Sel et poivre, au goût

Couper le saumon en cubes d'environ 5 mm.

Dans un bol, bien mélanger le saumon avec l'huile (toujours commencer avec l'huile, parce que le jus de citron et le sel cuisent le poisson).

Ajouter les échalotes et le jus de citron.

Saler et poivrer.

Servir dans une coupe avec des croûtons de pain.

Note : il est essentiel d'utiliser du saumon frais pour cette recette et de le laisser au frigo jusqu'à l'utilisation, car le saumon développe des bactéries à la température de la pièce qui pourraient gâcher la soirée…

Ballottines de volaille farcies au brocoli

C'est la première recette que j'ai apprise à faire afin de séduire les filles ! Je l'avais servie la première fois avec du riz et une rose en tomate... Le reste, c'est de l'histoire...

Pour tes premiers pas en matière de séduction culinaire :

2 poitrines de poulet désossées

10 petits bouquets de brocoli

¼ tasse de cheddar râpé

Sel et poivre, au goût

À l'aide d'un couteau, faire une fente dans le flanc des poitrines.

Farcir les poitrines de bouquets de brocoli et de fromage.

Saler et poivrer.

Rouler les poitrines comme un cigare dans une feuille d'aluminium.

Déposer les ballottines dans un grand chaudron contenant de l'eau bouillante et cuire 12 minutes.

Retirer et laisser reposer dans l'aluminium environ 5 minutes.

Servir le poulet coupé en tranches d'environ 2 cm d'épaisseur, nappé de sauce béchamel (voir la recette à la p. 157) et accompagné de tes légumes favoris ou même d'un peu de riz frit.

Note : tu peux farcir ton poulet avec n'importe quel légume vert. Choisis celui que tu préfères ou même mieux, celui en réclame à l'épicerie.

Moules marinara

Malgré tous les préjugés associés aux moules, ce fruit de mer est des plus sensuels à manger lors d'un souper en tête-à-tête. De plus, elles se préparent en un rien de temps!

Pour une soirée romantique à 2:

1 oignon de taille moyenne ciselé

250 ml de vin blanc
(tu peux aussi utiliser de la bière)

200 ml de sauce tomate
(voir la recette à la p. 151)

1 sac de 5 lbs (2,25 kg) de moules

Sel et poivre, au goût

Dans un gros chaudron à feu maximum, déposer l'oignon, le vin ainsi que la sauce tomate.

Quand le tout commence à bouillir, ajouter les moules et couvrir le chaudron.

Laisser mijoter de 8 à 10 minutes, ou jusqu'à ce que les moules soient ouvertes.

Servir avec la sauce dans un bol.

Note : les moules qui n'ont pas ouvert durant la cuisson étaient déjà mortes. Tu n'as qu'à les jeter avant le service. Les frites sont l'accompagnement le plus traditionnel pour les moules. Personnellement, j'achète mes frites au casse-croûte du coin parce qu'elles sont meilleures que les congelées.

89

Jambon
à l'ananas

Un repas classique de Pâques, mais qui peut aussi ressusciter un souper à longueur d'année.

Pour 12 apôtres de bonne bouffe un jeudi soir :

1 jambon toupie d'environ 2,5 kg

2 *cannes* de 541 ml d'ananas tranchés

1 tasse de cassonade

250 ml d'eau

1 c. à soupe de moutarde de Dijon

Déposer le jambon dans un plat allant au four.

À l'aide de cure-dents, fixer les tranches d'ananas sur toute la surface du jambon.

Dans un bol, mélanger la cassonade, l'eau et la moutarde et verser autour du jambon.

Cuire environ 1 heure 15 minutes au four préchauffé à 180 °C (350 °F).

Trancher et servir à vos apôtres de la bonne bouffe.

Note : les jambons entiers qu'on achète à l'épicerie sont déjà cuits, donc il ne reste qu'à les chauffer. C'est pour ça que le temps de cuisson est rapide pour une si grosse pièce de viande.

Poivrons farcis

En entrée ou comme plat principal, ce plat italo-québécois est une proposition de recette que tu ne pourras pas refuser.

Pour farcir tes piments :

500 g de bœuf haché mi-maigre ou maigre

1 oignon ciselé

3 gousses d'ail hachées

½ tasse de chapelure (tu peux en faire avec du pain sec)

1 œuf battu

Sel et poivre, au goût

2 poivrons verts coupés en 2 sans les pépins

500 ml de sauce tomate (voir la recette à la p. 151)

Dans un bol, mélanger le bœuf, l'œuf, l'oignon, l'ail, la chapelure, le sel et le poivre.

Farcir chaque moitié de poivron avec l'appareil de bœuf et déposer sur une plaque allant au four.

Cuire au four préchauffé à 190 °C (375 °F) environ 30 minutes.

Réchauffer la sauce tomate et servir avec les poivrons.

Note : savais-tu qu'un poivron vert contient quatre fois plus de vitamine C qu'une orange ? J'aime toujours la dire, celle-là... Ça ne laisse personne indifférent. Dis ça à table lors du prochain souper de famille, t'auras l'air brillant devant tes mononcles pis tes matantes.

Côtelettes de porc avec pommes caramélisées au sirop d'érable

Pour les vrais fans de Bob le Chef, voici la toute première recette que j'ai mise en ligne sur mon site Internet.

Pour 4 personnes et un budget de 10 $:

75 ml d'huile végétale

4 côtelettes de porc

2 pommes pelées coupées en quartiers

¼ bouteille de bière de ton choix

200 ml de sirop d'érable

Sel et poivre, au goût

Chauffer l'huile dans une grande poêle à feu maximum.

Saisir les côtelettes d'un côté puis les retourner et baisser le feu à moyen.

Poursuivre la cuisson environ 3 minutes.

Retirer et garder au chaud.

Dans la même poêle, toujours à feu moyen, cuire les quartiers de pomme environ 3 minutes.

Augmenter le feu à maximum et poursuivre la cuisson 1 minute.

Déglacer avec la bière et laisser mijoter 1 autre minute.

Ajouter le sirop et laisser mijoter de nouveau environ 3 minutes.

Servir avec un légume vert et des pommes de terre en purée.

Note : la meilleure façon de garder de la viande au chaud durant la confection d'une sauce est de la mettre au four préchauffé à 30 °C (100 °F) seulement.

Rôti de porc avec légumes

Si tu sers ce repas à tes invités et qu'eux payent la bière ou le vin en retour, ta soirée t'aura coûté moins de 9 $...

Pour tes 3 amis qui s'invitent à souper deux jours avant la paye :

1 rôti de porc d'environ 1 kg

50 ml d'huile d'olive ou d'huile végétale

1 navet coupé en cubes

2 carottes de taille moyenne tranchées en rondelles

3 pommes de terre de taille moyenne coupées en 6

2 gousses d'ail écrasées

⅓ bouteille de bière de ton choix

Sel et poivre, au goût

Badigeonner le rôti d'huile avec tes mains et le déposer dans un plat allant au four.

Disposer les légumes autour du rôti et verser la bière sur la viande.

Envoyer au four préchauffé à 190 °C (375 °F) environ 50 minutes.

Une fois sorti du four, laisser le rôti reposer environ 15 minutes.

Couper le rôti en tranches et servir accompagné des légumes et de son jus.

Note : afin d'économiser au max, surveille les spéciaux à l'épicerie, car tu peux congeler ta viande pour des soirées futures. Pour la décongeler, tu n'as qu'à la laisser 24 heures au frigo. Ne jamais cuire un rôti gelé !

Rôti de bœuf

Afin de t'assurer une cuisson plus uniforme, il est suggéré de ficeler son rôti avant la cuisson. Utilise de la corde mince pour le faire.

Pour toi et 3 invités :

1 rôti de bœuf de 1 kg

2 carottes tranchées en rondelles minces

1 oignon coupé en dés

1 navet coupé en petits cubes

3 pommes de terre coupées en cubes

½ bouteille de bière de ton choix

Sel et poivre, au goût

Déposer le rôti en plein centre d'un plat allant au four avec les légumes autour.

Verser la bière sur le rôti.

Saler et poivrer.

Cuire au four préchauffé à 190 °C (375 °F) pendant environ 40 minutes.

Note : quand on cuit une grosse pièce de viande, il est essentiel de la laisser reposer après la cuisson. Si tu la coupes tout de suite, son jus éclaboussera tes convives et ça fera un beau spectacle, mais tes tranches de viande seront sèches. Attends au moins 15 minutes par kilo de viande avant de servir afin d'assurer que ton rôti soit bien juteux.

Riz frit de base

L'homme cultive le riz depuis 10 000 ans et c'est la céréale la plus consommée au monde. Avec du riz blanc, les possibilités de recette sont illimitées.

Pour 4 personnes qui n'ont pas les moyens de se payer un voyage en Chine :

1 tasse de riz blanc
----
75 ml d'huile végétale
----
8 champignons tranchés
----
1 poivron vert coupé en morceaux
----
1 gousse d'ail hachée
----
3 échalotes vertes émincées
----
2 œufs

Sel et poivre, au goût

Cuire le riz (voir Techniques de base, à la p.17).

Chauffer l'huile dans une poêle à feu moyen.

Cuire les champignons et les poivrons environ 4 minutes.

Ajouter l'ail et les échalotes et poursuivre la cuisson environ 1 minute avant d'ajouter les œufs.

Une fois les œufs cuits, finir en ajoutant le riz .

Bien mélanger et servir.

Note : essaie la recette en y ajoutant du poulet, des crevettes ou n'importe quel légume.

Sauté de bœuf et de légumes

Ma mère appelait ça du bœuf chinois, même si elle ne le sautait pas dans un wok.

Pour un vrai faux plat asiatique pour 4 :

2 steaks de bœuf minces

1 poivron vert coupé en lanières

1 oignon émincé

8 champignons de taille moyenne tranchés

75 ml d'huile végétale

75 ml de sauce soya

Sel et poivre, au goût

Faire chauffer l'huile dans une grande poêle à feu maximum.

Y déposer tous les ingrédients d'un seul coup sauf la sauce soya.

Cuire environ 5 minutes en remuant de temps à autre.

Ajouter la sauce soya environ 1 minute avant la fin de la cuisson.

Saler et poivrer.

Servir avec des baguettes.

Note : pour rehausser la saveur orientale « authentique », ajoute 4 c. à soupe de graines de sésame à la fin de la cuisson.

Pâté chinois

Tout comme pour les recettes précédentes à connotation asiatique, il n'y a en fait rien de chinois là-dedans!

Steak, blé d'inde, patate!
Steak, blé d'inde, patate!
Steak, blé d'inde, patate!

5 grosses pommes de terre pelées et coupées en cubes

3 c. à soupe de beurre

100 ml de lait

Sel et poivre, au goût

750 g de bœuf haché mi-maigre ou maigre

75 ml d'huile végétale

1 *canne* de 398 ml de maïs en grains

1 *canne* de 398 ml de maïs en crème

Cuire les patates à l'eau bouillante.

Une fois cuites, les fouetter au malaxeur avec le beurre et le lait : saler et poivrer et mettre de côté.

Cuire le bœuf haché dans l'huile dans une poêle à feu vif.

Saler et poivrer.

Déposer le bœuf dans le fond d'un plat allant au four.

Ajouter les 2 *cannes* de maïs.

Terminer avec un étage de purée de pommes de terre.

Cuire au four préchauffé à 190 °C (375 °F) pendant 1 heure.

Servir avec une fourchette et non pas des baguettes.

Note : la supposée vraie raison qu'on appelle ce plat pâté chinois, c'est qu'on le servait régulièrement aux Chinois qui ont construit pratiquement tout le réseau ferroviaire canadien.

Chop suey !

Une façon simple de passer les restes qui traînent dans le frigo. Tu peux presque utiliser n'importe quel légume dans cette recette. Et si ton budget est trop serré, la viande est optionnelle.

Pour 4 personnes qui trouvent que ça sent bizarre dans le quartier chinois :

75 ml d'huile végétale

½ poulet déjà cuit (cuisse ou poitrine, ça ne dérange pas)

1 gousse d'ail hachée

Environ 10 bouquets de brocoli

3 échalotes vertes émincées

2 tasses de fèves germées

Sel et poivre, au goût

Dans une grande poêle, faire chauffer l'huile à feu maximum.

Ajouter le poulet, l'ail et le brocoli et cuire environ 2 minutes en remuant fréquemment.

Ajouter les échalotes ainsi que les fèves germées.

Saler et poivrer.

Cuire un autre 2 minutes en remuant.

Servir dans un bol.

Note : recyclez vos légumes et libérez le Tibet !

Vendre sa salade

«Des fois je vis des hauts, des fois je vis des bas, mais je fais ma vinaigrette. La plupart du temps...»

Pour la plupart des gens, surtout les gars, manger un tas de feuilles avec du vinaigre et de l'huile est loin d'être le choix de repas le plus attirant. Dommage. Sache qu'une salade n'a pas toujours besoin d'avoir de la laitue comme ingrédient. En plus, c'est une excellente façon d'utiliser le morceau de poulet, de poisson ou les restes de légumes dans ton frigo. Peu coûteux, santé, et en plus les filles aiment ça... Vive la salade! Vive la salade libre!

Salade de pâtes

Comme les salades ne sont pas juste pour les filles, le *skateboard* n'est pas juste pour les gars non plus.

Pour mettre toutes les chances de ton bord pour éviter de te faire « clencher » par une fille lors de ta prochaine visite au *skatepark* :

1 tasse de pâtes alimentaires courtes (penne, rigatoni ou même macaroni feront l'affaire)

---

1 tomate en petits dés

½ poivron vert en petits morceaux

---

2 échalotes vertes émincées

---

75 ml de vinaigre balsamique ou de vinaigre de vin rouge

---

150 ml d'huile d'olive ou d'huile végétale + un peu d'huile pour les pâtes

---

50 g de feta ou de cheddar blanc coupé en dés

Sel et poivre, au goût

Cuire les pâtes (voir Techniques de base, à la p. 17) et les laisser refroidir au frigo.

Une fois les pâtes refroidies, y ajouter les autres ingrédients et assaisonnements.

Mélanger et servir.

Note : dans ce type de recette, toujours ajouter le vinaigre avant le fromage, ça empêche le fromage de tacher.

Salade de couscous

Si t'as bien appris à faire cuire la semoule (ou couscous), t'as déjà la moitié de la recette de réussie. Ce que tu y ajoutes ensuite est à ta guise. Un bel exemple de métissage culturel !

Pour un bon *kick start* en après-midi :

1 tasse de couscous

1 tomate en dés

1 échalote verte émincée

1 poivron vert coupé en petits morceaux

2 c. à thé de vinaigre de vin rouge

60 ml d'huile d'olive ou d'huile végétale

Sel et poivre, au goût

Cuire le couscous (voir Techniques de base, à la p. 17) et refroidir au frigo.

Déposer le couscous dans un bol, ajouter les autres ingrédients.

Mélanger et servir.

Note : tu peux vraiment ajouter à la recette les légumes qui traînent dans le fond du frigo comme des carottes, des champignons, du chou-fleur ou du brocoli.

«Hein? des betteraves et des oranges en salade!?» Comme je me dis qu'il n'y a pas que des gars qui ne connaissent absolument rien à la cuisine qui lisent ce livre, voici une recette pour les plus audacieux…

Pour une combinaison savoureuse :

3 grosses betteraves rouges coupées en cubes d'environ 2 cm

8 feuilles de basilic ciselées (les rouler l'une dans l'autre pour les couper)

1 c. à soupe de jus d'orange

2 c. à soupe de mayonnaise

Sel et poivre, au goût

Placer les betteraves dans un chaudron d'eau froide et les amener à ébullition.

Cuire 20 minutes, les passer ensuite sous l'eau froide et réserver.

Ajouter le basilic.

Dans un autre bol, mélanger le jus d'orange avec la mayo.

Ajouter aux betteraves puis saler et poivrer.

Bien mélanger et servir.

Note : cette recette est un excellent accompagnement pour un steak cuit sur le BBQ. Si tu ne l'essaies pas, tu devras me croire sur parole…

Salade
de betteraves
à l'orange

Salade de chou crémeuse

Contrairement à la salade du colonel, celle-ci ne brille pas dans le noir.

En accompagnement, ou pour accommoder les végétariens au BBQ :

1 chou vert coupé en fines lamelles

1 carotte coupée en petits cubes

1 tasse de mayonnaise

Sel et poivre, au goût

Dans un gros chaudron d'eau bouillante, cuire le chou tranché environ 2 minutes pour l'attendrir.

Dans un autre chaudron, cuire les carottes.

Une fois les légumes cuits et refroidis, ajouter la mayonnaise, saler, poivrer et servir.

Note : si tu préfères la salade de chou traditionnelle à la crémeuse, tu n'as qu'à remplacer la mayo par 250 ml de vinaigre, 250 ml d'huile végétale et 4 c. à soupe de sucre.

Salade de pommes de terre

Aucun, j'ai bien dit aucun, pique-nique n'est complet sans une salade de patates.

En plus de la nappe à carreaux :

3 grosses pommes de terre coupées en cubes

2 carottes tranchées en rondelles

1 échalote verte ciselée

2 c. à soupe de moutarde à l'ancienne (celle qui a des graines dedans)

2 c. à soupe d'huile d'olive ou d'huile végétale

Sel et poivre, au goût

Mettre les patates et les carottes dans un chaudron d'eau froide, amener à ébullition.

Retirer du feu quand les légumes sont tendres au toucher, puis réserver au frigo.

Une fois les légumes bien refroidis, ajouter tous les autres ingrédients.

Bien mélanger et servir dans un gros bol.

Note : en remplaçant la mayonnaise par la moutarde, cette recette devient 500 fois moins grasse. Juré craché !

Salade niçoise

Pour ceux qui ne pètent pas plus haut que le trou, c'est simplement une salade de thon. Un excellent choix pour les sportifs, cette salade est la championne des protéines. Tu pointes ou tu tires ?

Pour 4 boules et un cochonnet :

Environ 12 haricots verts

2 *cannes* de 85 g de thon

Environ 30 olives vertes ou noires sans noyau

4 c. à soupe de mayonnaise

Sel et poivre, au goût

4 œufs cuits durs coupés en 4

2 tomates coupées en 8

Cuire les haricots environ 2 minutes dans un chaudron d'eau bouillante.

Une fois cuits, les passer sous l'eau froide.

Mélanger les haricots froids avec le thon, les olives et la mayonnaise.

Saler et poivrer.

Déposer le mélange dans le centre d'une assiette et disposer les œufs et les tomates autour.

Note : simple à faire et nourrissante, cette salade peut être servie comme plat principal.

BOULE

Salade de tomates, mangues et avocats

Couleurs et saveurs s'unissent dans une noce culinaire... Daniel Pinard sort de ce corps! En d'autres mots : une recette qui est non seulement belle, mais qui est bonne en 🐾💥?🐌💨!🌼🐚🐛!

En plus de l'ouverture d'esprit pour mélanger des fruits avec des légumes :

2 mangues mûres coupées en tranches minces

2 avocats coupés en tranches minces

4 tomates coupées en 8

2 c. à soupe de vinaigre balsamique

60 ml d'huile d'olive ou d'huile végétale

Sel et poivre, au goût

Mettre tous les ingrédients dans un bol.

Mélanger doucement afin de ne pas trop abîmer les tranches d'avocats.

Servir.

Note : en été quand les tomates, les mangues et les avocats sont de saison, j'ai fait cette recette pour 15 personnes dans une fête et ça ma coûté 10 $... Ça, c'est de la cuisine économique! Au fait, y'a pas de façon facile de peler une mangue. Salis-toi!

Salade Waldorf

Beaucoup moins compliqué que son nom pourrait nous le faire croire.

Pour impressionner une fille dans la cafétéria à l'heure du lunch :

2 pommes tranchées (favoriser les Macintosh, elles noircissent moins vite)

1 paquet de 250 g de tes noix favorites

100 g de fromage cheddar (si tu n'as pas de balance, *check* combien de grammes il y a dans ton bloc de fromage, ça va t'aider à pratiquer tes fractions)

2 branches de céleri coupées en tranches minces

2 c. à soupe de mayonnaise

Sel et poivre, au goût

Mettre tous les ingrédients dans un bol.

Mélanger et servir.

Note : comme pour la salade de chou, tu peux remplacer la mayo par de l'huile et du vinaigre de vin rouge. Ça fera plaisir aux dames...

Salade aux 3 cannes
(fèves rouges, blanches et noires)

C'est pas parce que le repas vient d'une *canne* que ça ne sera pas bon.

Pour 4 colocs qui ont 4,44 $ à la gang à investir dans un bon repas :

1 *canne* de 540 ml de fèves rouges

----

1 *canne* de 540 ml de fèves blanches

----

1 *canne* de 540 ml de fèves noires

Environ 15 feuilles de menthe hachées (facultatif, mais vraiment bon dans cette recette)

Jus de 1 citron

----

100 ml d'huile d'olive ou d'huile végétale

Sel et poivre, au goût

Ouvrir les 3 cannes, égoutter les fèves et bien les rincer à l'eau froide.

Les déposer dans un bol et ajouter le reste des ingrédients.

Mélanger et servir.

Note : les fèves sont conservées dans une saumure qui a très mauvais goût. Il est donc très important de bien les égoutter et de les rincer avant de les cuisiner.

La campagnarde

La *jet set*

La Française

La granole

Italienne

Orientale

Les vinaigrettes

Quand j'ai commencé à cuisiner, j'évitais de faire des salades pour la simple raison que je ne savais pas faire de vinaigrettes. Pourtant, les vinaigrettes sont très faciles à réaliser. Pour toutes les recettes que je te propose, tu n'as qu'à mettre les ingrédients dans un bol et bien mélanger avec une fourchette ou un fouet juste avant de servir. Perso, j'utilise un pot qui se scelle et je brasse vigoureusement au moment de servir. En plus, c'est pratique pour conserver l'excédent par la suite.

Une histoire de filles :

Vinaigrette à la framboise La campagnarde
100 ml de vinaigre de framboise
200 ml d'huile végétale
1 c. à soupe de moutarde de Dijon
Sel et poivre, au goût

Vinaigrette au champagne La *jet set*
75 ml de champagne (ou mousseux)
25 ml de vinaigre de vin blanc
100 ml d'huile végétale
Sel et poivre, au goût

Vinaigrette balsamique L'Italienne
100 ml de vinaigre balsamique
200 ml d'huile d'olive ou d'huile végétale
1 c. à soupe de moutarde de Dijon
Sel et poivre, au goût

Vinaigrette au vin rouge La Française
100 ml de vinaigre de vin rouge
200 ml d'huile d'olive ou d'huile végétale
1 c. à soupe de moutarde de Dijon
Sel et poivre, au goût

Vinaigrette aux fines herbes La granole
75 ml de vinaigre blanc
25 ml de jus de citron
1 c. à soupe d'origan sec
1 c. à soupe de basilic sec
1 c. à thé de thym
1 c. à thé de sucre
200 ml d'huile d'olive ou d'huile végétale
Sel et poivre, au goût

Vinaigrette teriyaki L'Orientale
50 ml de sauce soya
50 ml de miel chaud (7 secondes au micro-ondes)
200 ml d'huile végétale
Sel et poivre, au goût

Salade César

Cette salade populaire états-unienne n'a absolument rien à voir avec l'empereur romain prénommé Jules. Mais comme toutes les routes mènent à Rome, on ne pouvait pas passer à côté.

Pour 4 prétoriens :

1 laitue romaine

2 tranches de pain coupé en cubes
(pour faire des croûtons)

4 c. à soupe de mayonnaise

4 tranches de bacon bien cuit et haché finement

2 c. à soupe de câpres finement hachées

4 filets d'anchois hachés

Sel et poivre, au goût

Laver la laitue, la déchirer en morceaux et la déposer dans un bol.

Déposer les cubes de pain sur une tôle et passer au four à 180 °C (350 °F) environ 4 minutes.

Dans un bol, mélanger la mayonnaise, le bacon, les câpres et les anchois.

Ajouter la mayonnaise à la salade et brasser.

Saler et poivrer.

Verser les croûtons sur le dessus.

Servir.

Note : tu peux aussi ajouter ton fromage favori à cette salade. Ce sera un excellent complément.

Salade d'épinards

Petit, j'ai été très déçu de réaliser que les épinards ne me rendaient pas instantanément fort et musclé comme Popeye. C'est probablement pourquoi je les ai si longtemps boudés, comme la majorité des enfants.

Pour des résultats à long terme :

Salade

1 paquet d'épinards en sac
(disponible dans toutes les bonnes épiceries)

----

4 clémentines ou deux oranges pelées et sectionnées

----

100 g d'amandes effilées ou de noix de Grenoble

Environ 15 olives vertes ou noires sans noyau

Vinaigrette

75 ml de jus d'orange

----

150 ml d'huile végétale

Sel et poivre, au goût

Enlever les queues des épinards et les déposer dans un grand bol à salade avec le reste des ingrédients.

Dans un autre bol, mélanger les ingrédients de la vinaigrette.

Verser la vinaigrette sur les épinards.

Bien touiller (mélanger) et servir.

Note : je remplace souvent la laitue par des épinards dans mes salades, car à défaut d'avoir des propriétés magiques, les épinards contiennent énormément de vitamines et de fer qui aident à la régénération des tissus du corps humain.

137

Le secret est dans la sauce

« Les soupes et les sauces sont un peu comme les préliminaires d'un bon repas, il faut savoir comment s'y prendre. »

Au risque de sonner *cheezy*, encore aujourd'hui, il n'y a rien que je trouve plus réconfortant que l'odeur d'une soupe qui mijote dans mon appartement. Conseil d'ami : quand tu fais de la soupe ou une sauce, fais-en le plus possible afin d'en congeler pour des lunchs ou soupers futurs.

Potage de courge

La citrouille et les autres membres de sa famille ne servent pas qu'à décorer dans le temps de l'Halloween, on peut aussi les cuisiner à l'année!

Pour un cucurbitacée quelconque:

75 ml d'huile végétale

1 gousse d'ail hachée

1 oignon émincé

6 courgettes vertes ou jaunes coupées en cubes

1 pomme de terre coupée en cubes

500 ml d'eau ou de bouillon de poulet

Sel et poivre, au goût

Dans un chaudron à feu moyen, chauffer l'huile et faire revenir l'ail et l'oignon.

Ajouter les courgettes, la patate et l'eau ou le bouillon de poulet.

Amener à ébullition et laisser mijoter jusqu'à ce que les patates et les courgettes soient tendres.

Réduire en purée à l'aide d'une mixette sur pied.

Rectifier la consistance avec de l'eau si nécessaire,

Saler et poivrer.

Déguster.

Note: il existe des centaines de variétés de courges. Les plus populaires sont la citrouille et la courgette (zucchini). Je te conseille aussi d'essayer la courge musquée ou encore la courge spaghetti.

Pesto

Je n'ai jamais eu le pouce vert, mais j'essaie toujours d'avoir un plant de basilic frais l'été sur mon balcon.

Pour un pesto presto :

30 feuilles de basilic
(facile à trouver dans le rayon des légumes à l'épicerie)

----

1 c. à soupe de parmesan râpé

----

2 gousses d'ail hachées sans leur germe

½ tasse d'huile d'olive
(de préférence) ou d'huile végétale

Sel et poivre, au goût

Mettre tous les ingrédients dans un récipient et broyer à l'aide d'une mixette sur pied.

Mélanger à des pâtes, du poulet ou simplement des tomates froides.

Note : le pesto se conserve 5 jours au frigo ou encore au congélateur, mais il est bien meilleur frais.

Potage aux carottes

Toujours bon pour les yeux, mais les carottes, c'est surtout bon pour les chauds lapins...

Pour 2 lapins et 2 lièvres :

75 ml d'huile végétale

1 oignon émincé

2 gousses d'ail hachées

750 ml d'eau ou de bouillon de poulet

10 carottes de taille moyenne tranchées en rondelles

Sel et poivre, au goût

Dans un chaudron, chauffer l'huile à feu moyen.

Faire revenir (suer) l'oignon et l'ail.

Ajouter l'eau ou le bouillon de poulet et les carottes.

Laisser mijoter jusqu'à ce que les carottes soient tendres.

Réduire en purée avec une mixette sur pied.

Saler et poivrer.

Servir.

Note : c'est toujours plus facile d'arranger une soupe trop épaisse qu'une soupe trop liquide. Lors de l'ajout de l'eau, vas-y graduellement et juge ta balle.

Soupe aux lentilles

Ouvre grand les yeux. Voici probablement la recette la moins coûteuse de ce livre.

Pour un repas bourratif à prix modique :

75 ml d'huile végétale

1 oignon émincé

2 gousses d'ail hachées

2 tasses de lentilles

500 ml de bouillon de volaille

Sel et poivre, au goût

Dans un chaudron à feu moyen, chauffer l'huile et faire revenir l'oignon et l'ail.

Ajouter les lentilles et le bouillon de volaille.

Laisser mijoter environ 30 minutes.

Saler et poivrer.

Servir.

Note : les lentilles sont très nourrissantes, elles ne coûtent pratiquement rien et se conservent au sec presque à l'infini !

Soupe poulet et nouilles

C'est bien connu, la soupe est l'un des meilleurs remèdes contre la grippe. Après 1 000 000 d'essais, cet agencement de lettres dans le bol est arrivé tout à fait par hasard.

Pour vaincre même la pire des grippes d'homme :

75 ml d'huile végétale

1 gousse d'ail hachée

1 oignon de taille moyenne ciselé

1 carotte moyenne tranchée en rondelles minces

3 tasses de bouillon de poulet

½ tasse de pâtes alimentaires (pour une soupe, prendre les pâtes les plus petites possible)

Sel et poivre, au goût

Chauffer l'huile dans un chaudron à feu moyen.

Faire revenir (suer) l'ail, l'oignon et les carottes.

Ajouter le bouillon de poulet et amener à ébullition.

Laisser mijoter environ 15 minutes.

Monter le feu à maximum et ajouter les pâtes.

Une fois les pâtes cuites, saler et poivrer.

Servir.

Note : en réalité, la soupe ne guérit pas la grippe, mais elle la soulage.

Soupe aux légumes
(minestrone)

Comme la plupart des soupes, celle-ci est si facile à réaliser que même le plus « vedge » devrait être capable de la faire.

Pour te réchauffer :

75 ml d'huile d'olive ou d'huile végétale

4 carottes de taille moyenne tranchées en fines rondelles

1 oignon de taille moyenne ciselé

3 gousses d'ail hachées

3 branches de céleri coupées en tranches minces

2 *cannes* de 796 ml de tomates broyées

500 ml d'eau

Sel et poivre, au goût

2 pommes de terre moyennes coupées en petits cubes

1 tasse de petites pâtes alimentaires à soupe

Chauffer de l'huile à feu moyen dans un grand chaudron.

Faire revenir (suer) les carottes, l'oignon, l'ail et le céleri.

Ajouter les tomates puis l'eau et amener à ébullition.

Saler et poivrer.

Laisser mijoter environ 45 minutes.

Ajouter les pommes de terre et environ 10 minutes après, ajouter les pâtes.

Quand les pâtes sont cuites, rectifier l'assaisonnement et servir.

Note : certaines personnes pensent que les soupes se mangent seulement en entrée alors qu'elles peuvent aussi faire d'excellents repas.

Gaspacho

L'été, la soupe est bien meilleure froide !

Pour 4 personnes qui se sont fait voler leur ventilateur :

1 *canne* de 796 ml de tomates broyées

-----

1 concombre pelé

-----

1 oignon coupé en petits dés

-----

1 c. à thé de sauce Tabasco

Jus de 1 citron

Sel et poivre, au goût

Déposer tous les ingrédients dans un bol et les réduire en purée à l'aide d'une mixette sur pied.

Saler et poivrer.

Servir.

Note : pour vraiment épater la galerie, sers la gaspacho dans des coupes à vin givrées de sel. Pour ce faire, trempe le rebord des coupes dans un peu d'eau ou de jus de citron et après dans du sel placé dans une assiette.

Sauce tomate

Tu devrais toujours avoir de la sauce tomate à portée de la main. Elle se conserve très bien dans le congélateur.

Tant qu'à en faire, fais-en pour vrai! Alors pour 2 litres de sauce :

75 ml d'huile d'olive ou d'huile végétale

1 petit oignon ciselé

3 gousses d'ail hachées

3 *cannes* de 796 ml de tomates broyées

Sel et poivre, au goût

Dans un chaudron, chauffer de l'huile à feu moyen.

Faire revenir (suer) l'oignon et l'ail.

Ajouter les tomates et laisser mijoter 1 heure 30 minutes en brassant quelques fois afin que la sauce ne colle pas.

Saler et poivrer.

Garder à portée de la main pour une autre recette ou laisser refroidir et conserver au congélateur.

Note : en ajoutant 2/3 de crème pour 1/3 de sauce tomate, tu obtiendras de la sauce rosée!

151

Sauce à spaghetti qui fera rougir ta grand-mère

OK, sûrement pas... Parce qu'elle a plus d'un demi-siècle d'expertise dans le domaine. Mais il faut bien commencer quelque part...

Pour confectionner un gros pot Masson de sauce :

100 ml d'huile d'olive ou d'huile végétale

500 g de bœuf haché (mi-maigre de préférence)

3 gousses d'ail hachées

2 *cannes* de 796 ml de tomates broyées

Sel et poivre, au goût

Dans un grand chaudron, chauffer l'huile à maximum.

Ajouter le bœuf et l'ail et remuer sans arrêt le temps que la viande soit cuite.

Ajouter les tomates et laisser mijoter à feu moyen environ 1 heure en brassant la sauce à quelques reprises pour qu'elle ne colle pas.

Saler et poivrer.

Servir sur tes pâtes favorites.

Note : si tes grands-parents sont encore vivants et que tu ne sais pas de quoi leur jaser lorsque tu es en visite, demande à ta grand-mère quel est le secret de sa sauce à spaghetti. Ses connaissances sont extrêmement précieuses.

Les bouillons

Les bouillons ne sont pas vraiment des plats qui se mangent tels quels. Par contre, il est bon de toujours en avoir à portée de la main pour la confection d'autres recettes. Personnellement, je congèle mes bouillons dans des *racks* à glaçons. Quand vient le temps de cuisiner, je m'en «pop» le nombre désiré.

Un vrai bouillon de poulet

À bas le Bovril.

Pour extraire le jus d'une poule :

1 poulet entier (surveille les spéciaux à l'épicerie, souvent un petit poulet entier coûte à peine 3 $)

2 carottes coupées en 3

2 branches de céleri coupées en 4

2 oignons moyens coupés en 2

3 clous de girofle et 3 feuilles de laurier (facultatif)

Prendre un chaudron assez gros pour que le poulet entre dedans.

Y déposer le poulet et couvrir d'eau froide.

Amener l'eau à l'ébullition puis ajouter les légumes et les épices.

Baisser le feu à doux et laisser mijoter environ 1 heure 30 minutes.

Dégraisser à l'aide d'une cuillère.

Verser le bouillon dans un autre chaudron en le passant au tamis à spaghettis.

Réserver.

Note : n'oublie pas de récupérer ton poulet après la cuisson pour faire des sandwichs et des salades.

Fond brun

Ou sauce brune pour les intimes.

**Pour 4 poutines
ou 4 *hot chicken* :**

2 kg d'os de bœuf ou de veau
(demande au boucher, souvent
si tu achètes autre chose il te
donnera les os)

2 carottes coupées en 3

1 oignon coupé en 2

1 branche de céleri

2 l d'eau

4 c. à soupe de pâte de tomate

Dans un four préchauffé à 270 °C
(500 °F), cuire les os et les
légumes environ 30 minutes.

Verser le tout dans un gros
chaudron.

Mouiller avec l'eau et la pâte de
tomate puis amener à ébullition.

Laisser mijoter à feu doux
environ 5 heures.

Dégraisser à l'aide d'une cuillère.

Verser le bouillon dans un autre
chaudron en le passant au tamis
à spaghettis.

Réserver.

*Note : pour obtenir une vraie sauce brune, mettre du bouillon
dans un chaudron et laisser mijoter jusqu'à la consistance désirée.*

Sauce béchamel

La reine mère des sauces blanches. Elle est facile à réaliser et se marie très bien avec le poulet, les pâtes, les légumes ainsi qu'une multitude d'autres aliments.

Pour bien napper 2 poitrines :

1 c. à soupe de beurre
- -
1 c. à soupe de farine
- -
500 ml de lait
- -
Sel et poivre, au goût

Fondre le beurre dans un chaudron chauffé à feu moyen.

Ajouter la farine et bien mélanger afin de créer une pâte.

Monter le feu à maximum et ajouter environ le quart du lait.

Bien fouetter jusqu'à l'obtention d'une sauce épaisse.

Répéter en ajoutant un quart de lait à la fois.

Une fois tout le lait incorporé, saler et poivrer.

Napper ta pièce de viande favorite de cette sauce.

Note : si tu aimes ta sauce plus épaisse, ajoute moins de lait et si tu l'aimes plus liquide, mets-en plus.

Il ne faut jamais arrêter
de fouetter ta mayo pendant
sa préparation, sinon,
elle risque de se séparer.

Pour 500 ml de mayo :

1 œuf

1 c. à soupe de moutarde de Dijon

400 ml d'huile végétale

Jus de ¼ de citron

Sel et poivre, au goût

Dans un grand bol, fouetter l'œuf
et la moutarde.

Ajouter l'huile 1 c. à thé à la fois
sans jamais arrêter de fouetter.

Après avoir incorporé une dizaine
de cuillérées, ajouter le reste de
l'huile peu à peu sans jamais
arrêter de fouetter.

Une fois toute l'huile incorporée,
rectifier la consistance avec le jus
de citron.

Saler, poivrer et garder dans un
plat fermé hermétiquement au
frigo.

*Note : la plupart des chefs
utilisent seulement le jaune
d'œuf. Moi, je trouve que l'ajout
du blanc empêche la mayo de
se séparer au moment de l'ajout
de l'huile. La mayonnaise ne se
conserve pas au congélateur,
mais se garde 7 jours au frigo.*

Terminer en beauté

«OK Bob, j'ai suivi tes conseils, j'ai invité ma blonde à souper, elle a été charmée par le repas, mais que dois-je faire ensuite?»

La réponse se trouve dans ce chapitre. Les sucreries, surtout le chocolat, sont reconnues pour leurs propriétés aphrodisiaques. Fallait bien trouver un bon côté à ces recettes non bénéfiques pour notre santé. Hey, attends, j'en ai trouvé deux autres : sont pas chères pis sont bonnes en ☠🤬❓💥💢❗☀️🔪🔨.

Pouding au pain

Même au dessert, on essaie de te convaincre d'utiliser tes restes.

Au lieu de jeter ton vieux pain tranché :

2 tasses de pain coupé en cubes (environ 4 tranches de pain tranché ou ½ baguette)

2 c. à soupe de beurre ramolli

1 tasse de cassonade

3 œufs bien battus

375 ml de lait

2 c. à soupe de sirop d'érable

Déposer le pain coupé dans un plat allant au four ou un moule à gâteau.

Dans un bol, mélanger le beurre ramolli et la cassonade.

Ajouter les œufs et mélanger de nouveau.

Incorporer le lait et verser le tout sur le pain.

Cuire au four préchauffé à 180 °C (350 °F) de 35 à 45 minutes.

Servir chaud avec de la crème glacée ou du sirop d'érable.

Note : tu peux remplacer le sirop par de la vanille. Essaie aussi en ajoutant des noix, des raisins secs ou même des pépites de chocolat dans ton pouding!

Carrés aux dattes

Si tu vis ta vie dangereusement et que tu n'as pas froid aux yeux, ose couper tes carrés aux dattes en triangles ou même en ronds! Si tu as moins de 18 ans, assure-toi d'être en présence d'un parent.

Pour une leçon de géométrie culinaire :

180 ml d'eau

500 g de dattes

1 ½ tasse de farine

1 ½ tasse de gruau

¾ tasse de cassonade

1 pincée de sel

6 c. à soupe de beurre

Dans un chaudron, amener l'eau à ébullition et ajouter les dattes.

Cuire jusqu'à ce que les dattes soient ramollies et réserver.

Mélanger tous les ingrédients secs avec le beurre en utilisant tes mains.

Déposer un peu moins que la moitié de ce mélange dans un plat allant au four.

Couvrir de l'appareil aux dattes.

Terminer avec le reste de l'appareil sec.

Cuire au four préchauffé à 190 °C (375 °F) 30 minutes.

Déguster chaud ou froid

Note : parmi les recettes de ce chapitre, ce dessert n'est probablement pas celui qui épatera le plus ta « date », mais c'est carrément l'un des meilleurs selon moi...

Gâteau aux carottes

J'ai toujours ri de mon *pot* Tanguay parce qu'il est roux et myope… Jusqu'au jour où il m'a donné sa recette de gâteau aux carottes…

Pour un gâteau :

1 ¼ tasse de farine

1 c. à thé de poudre à pâte

½ c. à thé de bicarbonate de soude

1 pincée de sel

2 œufs

1 tasse de sucre

125 ml d'huile végétale

1 ½ tasse de carottes râpées

Dans un bol, mélanger les ingrédients secs (farine, poudre à pâte, bicarbonate de soude et sel).

Dans un autre bol, mélanger les œufs avec le sucre et ajouter l'huile végétale.

Incorporer graduellement les ingrédients secs au mélange d'œufs.

Ajouter les carottes.

Verser dans un moule graissé.

Cuire au four préchauffé à 190 °C (375 °F) environ 35 minutes.

Vérifier la cuisson en piquant le centre du gâteau avec un cure-dent (si le cure-dent en ressort propre, le gâteau est prêt).

Démouler, garnir de glaçage (facultatif) et servir.

Note : la preuve que la cuisine peut tisser des liens d'amitié durables…

Panna cotta

Parce que c'est plus que du pouding… Kessé qui fait chanter les p'tits Simard?

Pour 4 coupes de ce dessert sexy :

500 ml de lait

1 tasse de sucre

1 c. à soupe de vanille

1 enveloppe de 25 g de gélatine en poudre (disponible dans le rayon des gâteaux dans toutes les épiceries)

2 c. à soupe d'eau froide

Dans un chaudron, amener à ébullition le lait, le sucre et la vanille puis retirer du feu.

Dans un bol, mélanger la gélatine avec l'eau froide et ajouter au lait.

Verser le mélange dans des coupes à vin ou dans tes plats individuels favoris.

Laisser figer au frigo environ 6 heures.

Déguster avec 1 ou 2 cuillères…

Note : tu peux substituer la vanille par du sirop d'érable, du chocolat ou tout autre arôme que tu préfères.

Mousse au chocolat

Y'a pas que le champagne qui peut mousser la fin d'un bon repas.

Pour 4 personnes qui ne peuvent pas se payer une bouteille de Dom Pérignon :

3 blancs d'œufs

100 ml de crème 35 %

100 g de chocolat au lait

2 c. à soupe de beurre

À l'aide d'un mélangeur, monter les blancs d'œufs en neige.

Dans un autre bol, fouetter la crème.

Fondre le chocolat avec le beurre dans un chaudron à feu doux.

Mélanger doucement les blancs d'œufs à la crème.

Terminer en ajoutant le chocolat.

Verser dans des coupes et réfrigérer 4 heures avant de servir.

Note : ne pas trop mélanger les œufs à la crème, car tu risques de les faire tomber à plat…

Pain trop banane

Tellement bon qu'Omnikrom s'en est inspiré pour leur titre d'album. Trop Banane !

Pour cuisiner un *Été hit* :

½ tasse de sucre

125 ml d'huile végétale

3 œufs

3 bananes mûres écrasées

1 ½ tasse de farine

1 c. à soupe de poudre à pâte

Dans un grand bol, mélanger les œufs et le sucre.

Ajouter l'huile et les bananes écrasées et mélanger de nouveau.

Incorporer la farine et la poudre à pâte.

Verser le mélange dans un moule graissé.

Cuire au four préchauffé à 180 °C (350 °F) de 30 à 40 minutes.

Vérifier la cuisson en piquant le centre du gâteau avec un cure-dent (si le cure-dent en ressort propre, le gâteau est prêt).

Note : donne du bling à ton pain aux bananes en y ajoutant des brisures de chocolat.

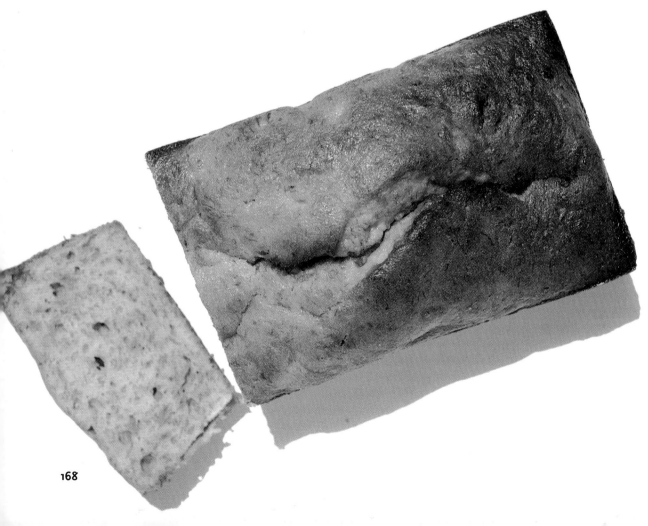

Biscuits «minute» au chocolat

Lève-toi le derrière de sur ton divan : ces biscuits ne prennent que quelques minutes à faire. Avec de la pratique, tu devrais arriver à synchroniser la préparation et la cuisson avec les pubs et ne rien manquer de ton émission de télévision favorite.

Pour 16 biscuits :

4 c. à soupe de beurre ramolli

½ tasse de sucre

1 œuf

½ c. à thé de poudre à pâte

1 tasse de farine

1 tasse de pépites
de chocolat mi-sucré

Dans un bol, mélanger le beurre ramolli et le sucre.

Ajouter l'œuf et mélanger de nouveau.

Incorporer la poudre à pâte et la farine.

Terminer en ajoutant les pépites de chocolat.

Sur une tôle à biscuits légèrement graissée, déposer des boules d'environ 1 grosse cuillère à thé.

Aplatir légèrement avec les doigts ou le dos d'une cuillère.

Cuire au four préchauffé à 180 °C (350 °F) de 8 à 10 minutes.

Note : essaie de ne pas manger toute la pâte avant la cuisson...

Crème caramel

Le dessert officiel
des rendez-vous doux !

**Pour charmer le
ou les êtres chers :**

Caramel

2 ½ tasses de sucre

4 ramequins en fausse céramique
achetés au magasin 1 $
(personne ne va s'en rendre compte)

Crème

4 œufs

2 c. à soupe de sirop d'érable

500 ml de lait

Préparation du caramel

Fondre le sucre dans une poêle
à feu moyen jusqu'à l'obtention
d'un caramel blond.

Retirer immédiatement du feu
(le caramel brûle très rapidement
et goûte mauvais).

Déposer 1 c. à soupe de caramel
dans le fond de chaque ramequin.

Préparation de la crème

Dans un grand bol, fouetter
les œufs avec le sirop d'érable
et incorporer le lait.

Verser le mélange dans
les ramequins.

Déposer les ramequins dans
un plat à lasagne ou à gâteau
et verser de l'eau dans le
plat jusqu'à mi-hauteur
des ramequins.

Cuire au four préchauffé à 180 °C
(325 °F) pendant 30 minutes.

Laisser refroidir au frigo.

Pour le service, démouler à l'aide
d'un couteau à fine lame et
renverser dans une assiette.

*Note : ne jamais toucher
au caramel chaud, car il
colle à la peau et ses brûlures
ne pardonnent pas !*

Chocolat chaud au Toblerone

Tanné de manger tes émotions ?
Bois-les...

**Pour séduire l'être cher ou se
remettre d'une peine d'amour :**

150 g de chocolat Toblerone
- -
250 ml de lait
- -
100 ml de crème 35 %
- -

Fondre le chocolat dans un
chaudron à feu doux.

Incorporer le lait et la crème.

Servir dans une tasse avec des
guimauves sur une peau d'ours
près du feu de foyer.

*Note : aussi excellent avec
du Bailey's ou du rhum, mais
l'éditeur nous a interdit
de cuisiner avec des spiritueux...*

Gâteau éponge

Ok. J'avoue qu'elle est facile celle-là... Bob l'éponge en pleine corvée domestique...

Pour ta tâche ménagère :

1 ½ tasse de farine

2 c. à thé de poudre à pâte

1 c. à thé de bicarbonate de soude

1 pincée de sel

2 œufs

1 tasse de sucre blanc

250 ml d'huile végétale

180 ml de lait

1 c. à thé de vanille

Dans un bol, mélanger les ingrédients secs (farine, poudre à pâte, bicarbonate de soude et sel).

Dans un autre bol, mélanger les œufs avec le sucre et ajouter l'huile végétale.

Incorporer graduellement les ingrédients secs au mélange d'œufs en alternant avec le lait.

Verser le mélange dans un plat allant au four ou un moule à gâteau bien graissé.

Envoyer au four préchauffé à 180 °C (350 °F) de 40 à 50 minutes.

Vérifier la cuisson en piquant le centre du gâteau avec un cure-dent (si le cure-dent en ressort propre, le gâteau est prêt).

Garnir de ton glaçage préféré.

Note : laisse reposer le gâteau avant de l'enlever du moule. Sinon, tu risques de le faire tomber à plat.

Gâteau au fromage économique

Sur le menu des desserts du restaurant, le gâteau au fromage est souvent le plus cher et pourtant, c'est la plus petite part de gâteau. Après avoir réalisé ce dessert toi-même, tu ne te feras plus avoir.

Pour réaliser des économies sans avoir l'air *cheap* :

15 biscuits Graham écrasés

2 c. à soupe de beurre

2 tasses de fromage à la crème

2 c. à soupe de beurre

6 jaunes d'œufs

1 ½ tasse de sucre

1 c. à soupe de vanille

Mélanger les biscuits Graham écrasés avec les 2 c. à soupe de beurre.

Couvrir le fond d'un moule à gâteau avec ce mélange.

Dans un bol, mélanger le fromage et les 2 autres c. à soupe de beurre.

Dans un autre bol, mélanger les œufs avec le sucre et la vanille.

Incorporer le deuxième appareil au premier.

Verser le mélange sur les biscuits Graham.

Cuire dans un bain-marie (placer dans un plat à lasagne au four et mettre de l'eau jusqu'à la moitié du plat) puis envoyer au four préchauffé à 180 °C (350 °F) pour 30 minutes.

Servir avec un coulis de framboises (voir recette à la p.181)

Note : ça fond dans la bouche sans faire fondre ton compte de banque.

Pouding chômeur

Même si tu te sens bon à rien, qu'aucun employeur ne veut de toi, t'es capable de faire cette recette.

Pour quelqu'un qui a perdu son emploi et qui souhaite manger ses émotions :

Sirop

2 tasses de cassonade

¼ tasse d'eau

2 c. à soupe de beurre

Gâteau

4 c. à soupe de beurre ramolli

¾ tasse de sucre

1 œuf battu

180 ml de lait

1 $^{1/3}$ tasse de farine

3 c. à thé de poudre à pâte

½ c. à thé de sel

Préparation du sirop

Dans un petit chaudron, amener les 3 ingrédients à ébullition et laisser bouillir 3 minutes. Verser le sirop dans un plat allant au four ou un moule à gâteau légèrement graissé. Mettre de côté.

Préparation du gâteau

Dans un bol, mélanger le beurre ramolli et le sucre.

Ajouter l'œuf et mélanger de nouveau.

Incorporer le lait en ajoutant la farine, la poudre à pâte et le sel.

Verser le mélange sur le sirop.

Envoyer au four préchauffé à 180 °C (350 °F) environ 30 minutes.

Note : un dessert qui fait la job !

Gâteau fondant au chocolat

Salut Bob!

Je t'écris pour te dire que j'écoute ton *show* depuis le début et que j'essaye la plupart de tes recettes. Vraiment *nice*! Tes *jokes*, la musique, mais aussi tes trucs et tes conseils pour apprendre à se faire de la bouffe comme il faut. J'ai particulièrement apprécié ton spécial Saint-Valentin. Grâce à ta savoureuse recette de fondant au chocolat, j'ai finalement réussi à «scorer» avec ma blonde, tel que tu le promettais! Et juste pour ça, j'te jure que je vais me rappeler de toi longtemps!

Merci, et comme tu le dis si bien : *Keep on cooking!*

Félix

200 g de chocolat

200 g de beurre

4 œufs

½ tasse de sucre

1 tasse de farine

Faire fondre le chocolat et le beurre dans un chaudron à feu moyen.

Dans un bol, battre les œufs avec le sucre.

Ajouter le chocolat fondu aux œufs.

Incorporer graduellement la farine.

Remplir des ramequins graissés.

Envoyer au four préchauffé à 240 °C (450 °F) pour 5 minutes.

Sortir du four et laisser reposer 1 minute.

Renverser le gâteau dans une assiette et servir avec une boule de crème glacée à la vanille.

Note : fais comme Félix. Suis les conseils de Bob le Chef... Ça rapporte!

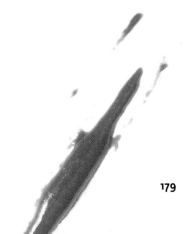

Glaçages

Faire son gâteau, c'est beau. Mais le tartiner de son propre glaçage, c'est lui rendre hommage. Les recettes que je te propose sont-elles plus ou moins santé que les glaçages préparés vendus à l'épicerie ? Je l'ignore. Une chose est certaine, au moins tu connaîtras les ingrédients qui sont dedans.

**Pour un gros gâteau
ou une douzaine de petits :**

1 Chocolat

5 c. à soupe de cacao en poudre

1 ½ tasse de sucre en poudre

3 c. à soupe d'eau chaude

1 œuf

6 c. à soupe de beurre

Mettre tous les ingrédients dans un bol et battre au mélangeur.

Tartiner le gâteau.

2 Vanille

1 ½ tasse de sucre en poudre

3 c. à soupe d'eau chaude

1 œuf

6 c. à soupe de beurre

1 c. à thé de vanille

Mettre tous les ingrédients dans un bol et battre au mélangeur.

Tartiner le gâteau.

3 Crème chantilly

200 ml de crème 35 %

½ tasse de sucre

1 c. à thé de vanille

Fouetter la crème, le sucre et la vanille jusqu'à l'obtention d'une crème fouettée.

Pour épargner tes bras, tu peux aussi le faire au mélangeur.

4 Fromage

5 c. à soupe de fromage à la crème

2 c. à soupe de beurre

1 tasse de sucre en poudre

Mettre tous les ingrédients dans un bol et passer au mélangeur.

Tartiner le gâteau.

5 Meringue

¼ tasse de sucre

3 blancs d'œufs

À l'aide d'un mélangeur, fouetter le sucre et les œufs.

Une fois le gâteau garni de meringue, le passer au four à *broil* environ 2 minutes.

6 Coulis de framboises

1 casseau de framboises

1 c. à soupe de beurre

1 c. à soupe de sucre

Dans une poêle, à feu moyen, faire revenir les framboises avec le beurre environ 2 minutes puis ajouter le sucre.

Laisser mijoter environ 2 minutes.

Servir avec du gâteau au fromage ou d'autres desserts.

Note : tu peux aussi préparer un coulis de fraises ou de bleuets.

Index par prix

De tout pour toutes les bourses. Comme le prix des ingrédients est souvent sujet à changement, cette catégorisation n'est évidemment pas à toute épreuve. Si tu possèdes déjà les ingrédients de base, tu peux économiser encore plus et te payer un peu de fantaisie...

Les ingrédients de la recette du succès

Alexis Brault-Tremblay

Mathilde Pigeon-Bourque

Ève Tessier-Bouchard

Ma mère

Cynthia L. Penny

Daniel Mathieu

Yanick Nolet

Guy Lévesque

François ''Frenchie'' Dupré

Tommy Loyer

Le Restaurant Misto

Le dépanneur Laura

Catherine Bouffard
de Tatouage Royal

Annie Guglia

Katia Dion et les filles
de l'agence K

La boutique Psychonaut

Gabriel Ekoe

Stéphane Picard

Etienne Tanguay

Jeanbar et Linso Gabbo
d'Omnikrom

Bazil Laras

Alex Paradis du club
de boxe Underdog

À tous les gens qui m'ont
encouragé au fil des ans,
qui ont acheté ce livre
ou simplement ceux qui
m'arrêtent sur la rue pour
me dire qu'ils ont essayé
une de mes recettes ou pour
en partager une nouvelle :
un GROS MERCI !

L'anarchie culinaire
selon
Bob
Le Chef

Catalogage avant publication de Bibliothèque
et Archives nationales du Québec et Bibliothèque
et Archives Canada

Bob, le Chef
L'anarchie culinaire selon Bob le Chef
Comprend un index.
ISBN 978-2-923194-90-5

1. Cuisine rapide.
2. Cuisine économique. I. Titre.
TX833.5.B62 2008
641.5'12 C2008-941963-4

André Provencher,
président des Éditions La Presse

Martin Balthazar,
directeur de l'édition

Ève Tessier-Bouchard,
éditrice déléguée

Collaboration à l'édition :
Martine Pelletier

Notre chef :
Robert James Penny

Rédacteur en chef :
Alexis Brault-Tremblay

Photographe :
Daniel Mathieu

Concepteur graphique :
Yanick Nolet

Assistante de production :
Mathile Pigeon-Bourque

Imprimé au Québec par Interglobe

L'éditeur remercie le gouvernement du Québec pour
l'aide financière accordée à l'édition de cet ouvrage
par l'entremise du Programme de crédit d'impôt
pour l'édition du livre, administré par la SODEC.

L'éditeur bénéficie du soutien de la Société
de développement des entreprises culturelles
(SODEC) pour son programme d'édition
et pour ses activités de promotion.

L'éditeur reconnaît l'aide financière du gouvernement
du Canada par l'entremise du Programme d'aide
au développement de l'industrie de l'édition (PADIÉ),
pour ses activités d'édition.

Les Éditions La Presse 2008
TOUS DROITS RÉSERVÉS

Dépôt légal — Bibliothèque et Archives nationales
du Québec, 2008
Dépôt légal — Bibliothèque et Archives Canada, 2008
4e trimestre 2008
ISBN 978-2-923194-90-5
Imprimé et relié au Canada

LES ÉDITIONS
LA PRESSE

7, rue Saint-Jacques
Montréal (Québec) H2Y 1K9
514 285-4428

Improvisations culinaires

Improvisations culinaires